О.А. Новиковская

БОЛЬШОЙ альбом

ПО РАЗВИТИЮ РЕЧИ

Для самых маленьких

Издательство АСТ

Москва

УДК 372.3/.4
ББК 74.102
  Н74

Новиковская, Ольга Андреевна.

Н74   Большой альбом по развитию речи для самых маленьких / О. А. Новиковская. — Москва : Издательство АСТ, 2016. — 159,[1] с., ил. — (Большой альбом развития малыша).

ISBN 978-5-17-094420-0.

О. А. Новиковская, педагог-логопед с 25-летним опытом работы, представляет свою новую книгу «Большой альбом по развитию речи для самых маленьких». Иллюстрированные игры-задания способствуют формированию правильного звукопроизношения, расширению словарного запаса, развитию фонематического восприятия, речевого внимания, памяти, мышления.

Для детей до 3 лет.

УДК 372.3/.4
ББК 74.102

Издание развивающего обучения
Для детей до 3 лет

Ольга Андреевна Новиковская

БОЛЬШОЙ АЛЬБОМ ПО РАЗВИТИЮ РЕЧИ ДЛЯ САМЫХ МАЛЕНЬКИХ

Ответственный редактор Е. Гайдель
Технический редактор Т. Лаврова
Художественное оформление Т. Любиченко
Компьютерная верстка М. Азаров

Подписано в печать 19.11.15. Формат 110х90/16. Усл. печ. л. 18,3.
Печать офсетная. Тираж 4 000 экз. Заказ 1537
Оригинал-макет подготовлен редакцией «Сова»

ООО «Издательство АСТ»
129085, г. Москва, ул. Звездный бульвар, д. 21, стр. 3, комн. 5
Наши электронные адреса: WWW.AST.RU Email: astpub@aha.ru

Отпечатано с электронных носителей издательства.
ОАО "Тверской полиграфический комбинат". 170024, г. Тверь, пр-т Ленина, 5.
Телефон: (4822) 44-52-03, 44-50-34, Телефон/факс: (4822)44-42-15
Home page - www.tverpk.ru Электронная почта (E-mail) - sales@tverpk.ru

"Баспа Аста" деген ООО
129085 г. Мәскеу, жұлдызды гүлзар, д. 21, 3 құрылым, 5 бөлме
Біздің электрондық мекенжайымыз: www.ast.ru
E - mail: astpub@aha.ru

Қазақстан Республикасында дистрибьютор және өнім бойынша
арыз-талаптарды қабылдаушының өкілі «РДЦ-Алматы» ЖШС,
Алматы қ., Домбровский көш., 3«а», литер Б, офис 1.
Тел.: 8(727) 2 51 59 89,90,91,92, факс: 8 (727) 251 58 12 вн. 107;
E-mail: RDC-Almaty@eksmo.kz
Өнімнің жарамдылық мерзімі шектелмеген.

Өндірген мемлекет: Ресей
Сертификация қарастырылған

ISBN 978-5-17-094420-0

ПРЕДИСЛОВИЕ

⬤ Все папы и мамы с нетерпением ждут, когда же наконец их малыш пролепечет своё первое осмысленное слово. Но перед тем как наступит этот прекрасный момент, пройдёт немало времени, ведь речь не возникает сама по себе. Ребёнок должен накопить определённый жизненный опыт, который он приобретает в игре. Так незаметно формируется пассивный словарь (т. е. слова, которые малыш понимает, но ещё не умеет произносить).

⬤ Если вы хотите, чтобы ваш кроха поскорее научился говорить, с ним необходимо как можно больше разговаривать и заниматься. С первых дней следует показывать и называть игрушки и предметы обстановки, учить узнавать их на картинках. Хорошим стимулом для речевого развития ребёнка станут и разнообразные подвижные игры, в том числе весёлые упражнения с пальчиками и язычком. Важно развивать у малыша речевое внимание — учить различать близкие по звучанию слова, слоги и звуки. Ведь прежде чем научиться произносить новые слова, малышу нужно суметь расслышать, как правильно они произносяться.

⬤ Словарный запас пополняется очень быстро. И вот наконец наступает время, когда количество понимаемых слов увеличивается настолько, что у малыша появляется потребность говорить. Причём, если годовалый ребёнок может произнести всего около десятка простых слов, таких как «мама», «папа», «баба», «ту-ту», то к двум годам активный словарь достигает примерно двухсот слов, а к трём — тысячи. Теперь речь становится полноценным средством общения.

⬤ Конечно, сроки овладения активной речью и качество её звукопроизношения у каждого ребёнка обусловлены его индивидуальными особенностями. Иногда бывает и так: маленький молчун может довольно долго не разговаривать и при этом прекрасно понимать окружающих. В таких случаях развитие речи необходимо стимулировать, предлагая занимательные игры с предметами и картинками.

⬤ Это пособие поможет организовать занятия с детьми от одного до трёх лет. Иллюстрированные игры-задания располагаются по принципу «от простого к сложному»: от самых первых звукоподражаний до предложений из нескольких слов, от простых гласных звуков до заднеязычных согласных [К], [Г] и [Х].

⬤ Приглашаем вас и вашего малыша в увлекательное путешествие в этот огромный мир слов.

Удачи и успехов на пути к постижению родного языка!

ВЫСТАВКА ИГРУШЕК

Рассмотрите вместе с малышом картинки на этой странице. Назовите каждую: «Вот кубик, вот машинка...» Затем попросите малыша показать игрушки: «Где кукла? Покажи куклу». Пусть он укажет на неё пальчиком. Затем продолжите игру, рассматривая картинки на странице справа.

Попросите малыша принести игрушки, которые он видел на картинках, и поставить их в ряд.

   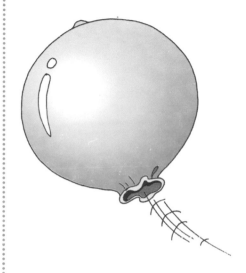

РАССМОТРИ СЕБЯ

Предложите малышу рассмотреть в зеркале своё отражение. Покажите, где у него глаза, нос, рот, уши, щёки, брови. Затем вместе с ребёнком найдите те же части лица на кукле или мягкой игрушке. После этого можно познакомить ребёнка с частями тела. Покажите голову, шею, туловище (спину, живот, грудь), руки и ноги. Уточните, где находятся локти, колени, пальцы и ногти.

Расскажите ребёнку, для чего нужны глаза (смотреть), уши (слышать), нос (дышать и нюхать). Глубоко и шумно вдохните через нос и выдохните через рот. Объясните, что рот нужен, чтобы есть, улыбаться, разговаривать. Широко улыбнитесь друг другу. Пусть малыш повторяет все действия вслед за вами.

Прочитайте стихотворение, одновременно показывая соответствующие части тела. Пусть малыш копирует ваши движения.

Ну-ка, Ванечка
(имя вашего ребёнка),
Смотри,
Да всё верно повтори:
Вот спина, а вот животик,
Ножки,
Ручки,
Глазки,
Ротик,
Носик,
Ушки,
Голова...
Показать успел едва!

А теперь попросите малыша показать части тела и лица у мальчика Вовы, нарисованного на этой странице.

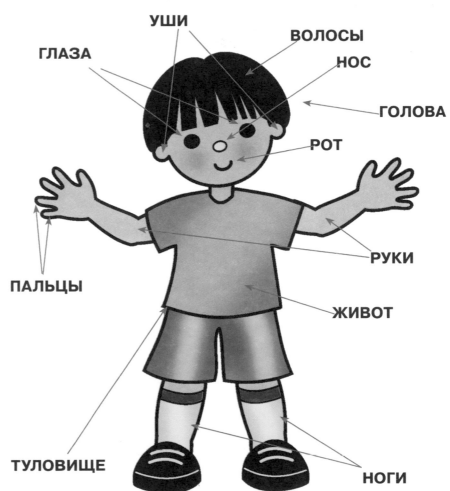

УШИ
ГЛАЗА
ВОЛОСЫ
НОС
ГОЛОВА
РОТ
РУКИ
ПАЛЬЦЫ
ЖИВОТ
ТУЛОВИЩЕ
НОГИ

Попросите ребёнка показать зайца, кошку, лису и птичку. Затем предложите найти нос, глаза, уши, лапы и хвост у каждого животного. Задание посложнее: попросите показать уши у зайчика, хвост у лисы, лапы у кошки, клюв и крылья у птички. Спросите малыша, есть ли хвост и крылья у него самого.

ЧТО ДЕЛАЕТ НИНА?

Расширяйте пассивный словарь ребёнка за счёт слов-действий. Рассмотрите вместе с ним картинки и расскажите, чем заняты дети и взрослые.

Скажите: «Покажи, где Нина прыгает, где сидит, где качается» и т. д.

ЧТО ДЕЛАЕТ ВОВА?

ЧТО ДЕЛАЕТ ПАПА?

ЧТО ДЕЛАЕТ ДЕДУШКА?

ЧТО ДЕЛАЕТ МАМА?

ЧТО ДЕЛАЕТ БАБУШКА?

11

ДЛЯ ЧЕГО ЭТО НУЖНО?

Расширяйте пассивный словарь ребёнка за счёт названий бытовых предметов, а также слов-действий. Рассмотрите вместе с ним картинки и назовите каждый предмет. Уточните, для чего они нужны. Затем попросите малыша показать знакомые ему предметы. Говорите так: «Покажи, где чашка, где лейка, где кровать...» После этого спросите: «Чем поливают цветочки?», «Что нужно, чтобы пить чай?», «Что надевают на ноги?» и т. п.

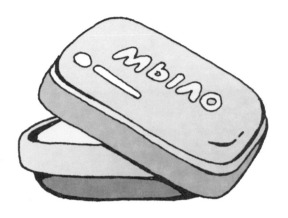

мыло

Развиваем общую моторику

СКАЖЕМ И ПОКАЖЕМ

Читайте ребёнку стишок и выполняйте движения в соответствии с текстом. Пусть малыш повторяет вслед за вами ваши действия и, если сможет, звукоподражания.

ЛЯ-ЛЯ-ЛЯ

На гармошке я играю,
Маму с папой забавляю.
Ля-ля-ля, ля-ля-ля —
Пляшет вся моя семья.

БИ-БИ

У нас машины разные —
Би-би, би-би, би-би!
И жёлтые, и красные —
Би-би, би-би, би-би!

Машины за машинами —
Би-би, би-би, би-би!
Шуршат машины шинами —
Би-би, би-би, би-би!

Пройдите по комнате, вращая в руках «руль».

У-У-У

Самолёт летит,
Самолёт гудит:
«У-у-у-у!
Я лечу, лечу, лечу-у-у-у!
Полечу, куда хочу-у-у-у!»

ТОП-ХЛОП

Хлопать Ванечка умеет,
Своих ручек не жалеет!
Хлоп-хлоп, хлоп-хлоп,
Своих ручек не жалеет!

Топать Ванечка умеет,
Своих ножек не жалеет!
Топ-топ, топ-топ,
Своих ножек не жалеет!

ЧИК-ЧИРИК

В гнезде воробышек живёт
И утром раньше всех встаёт.
Он скачет, скачет взад-вперёд
И громко песенку поёт:
«Чик-чирик, чик-чирик!»

Изображая воробышка, ребёнку придётся сначала свернуться на стульчике, а потом слезть с него и попрыгать по комнате.

ХЛОП-ХЛОП

Зайка беленький сидит
И ушами шевелит
(руки приставьте к голове,
как ушки),
Вот так, вот так —
Он ушами шевелит.

Зайке холодно сидеть,
Надо лапочки погреть
(встаньте и похлопайте
в ладоши).
Хлоп, хлоп, хлоп, хлоп —
Надо лапочки погреть.

Зайке холодно стоять,
Надо зайке поскакать
(подпрыгивайте).
Вот так, вот так —
Надо зайке поскакать.

ДУ-ДУ

Ай, ду-ду, ду-ду, ду-ду!
Я играю во трубу.
Я играю и пою.
Громко-громко
В бубен бью!

ТУК-ТУК

С пилой работать я привык:
Вжик-вжик, вжик-вжик!
Теперь беру я молоток:
Тук-тук, ток-ток!

Для друзей построю дом.
Постучимся и войдём:
— Тук-тук-тук, тук-тук-тук!
Заходи скорей, мой друг!

Пальчиковые игры

ПОТЕШКИ НА ПАЛЬЧИКАХ

Активные движения маленьких пальчиков способствуют развитию речи малыша. Почаще играйте с крохой в «Сороку-белобоку», «Козу рогатую». Во время игры поглаживайте и загибайте пальцы ребёнка. Эти простые массажные движения не только разрабатывают мышцы, но и активизируют мозговую деятельность.

КИСКА, КИСКА, КИСКА, БРЫСЬ!

Киска, киска, киска, брысь
(машите рукой, прогоняя
воображаемую кошку)!
На дорожку не садись
(погрозите пальцем):
Наша деточка пойдёт
(указательный и средний пальцы,
как ножки, шагают по столу) —
Через киску упадёт.

СИДИТ БЕЛКА НА ТЕЛЕЖКЕ

Сидит белка на тележке
(спину выпрямите, голову поднимите,
руки прижмите к груди, как лапочки),
Продаёт она орешки:
Лисичке-сестричке
(правой рукой загибайте
по очереди пальцы на левой),
Воробью, синичке,
Мишке толстопятому,
Заиньке усатому.

КАРАВАЙ

Мешу, мешу тесто (сожмите руки
в кулаки и по очереди совершайте
ими движения сверху вниз) —
Есть в печи место.
Пеку, пеку каравай
(«перекладывайте тесто»
из руки в руку) —
Переваливай, валяй!

ЛОШАДКИ

По дороге белой, гладкой
Скачут пальцы, как лошадки.
Цок-цок, цок-цок —
Скачет резвый табунок.

Все пальцы «скачут»
по столу в ритме потешки.

«УЛИТКА»

Тук-тук, улитка

(левую руку сожмите в кулак и положите на стол — изображайте улитку; правой рукой, также сжатой в кулак, стучите по левой),
Высуни рога

(из левого кулачка высвобождаются указательный и средний пальцы и слегка шевелятся — это рога),
Дам тебе я хлеба (протяните вперёд ладони обеих рук)
И кружку молока

(сложите ладони чашечкой).

«ДЯТЕЛ»

Дятел-вятел

(помахивайте кистями рук, как крыльями)
Сел на сук.
Тук-тук-тук

(одновременно стучите большими пальцами обеих рук по столу),
Тук-тук-тук

(стучите указательными пальцами по столу),
Тук-тук-тук,

(стучите средними пальцами по столу),
Тук-тук-тук

(стучите безымянными пальцами по столу),
Тук-тук-тук

(стучите мизинцами по столу).
Долбит сук.

Ритм движений должен совпадать с ритмом произносимых звукоподражаний.

ПЕРВЫЕ СЛОВА

ПАПА, МАМА И Я...

Учите малыша произносить слова из двух одинаковых слогов. Сначала проговаривайте один слог, а потом, через паузу, — второй.

Покажите и назовите всех близких ребёнку людей. Пусть малыш повторит вслед за вами слова: МА-МА, ПА-ПА, БА-БА. Затем покажите малышу фотографии родных и предложите их назвать.

Обыграйте картинку «Семья» и ещё раз произнесите известные слова: МА-МА, ПА-ПА, БА-БА, а также новые: НЯ-НЯ, ДЯ-ДЯ, ЛЯ-ЛЯ (младенец). Покажите всех этих людей на картинке.

КАК ТЕБЯ ЗОВУТ?

Учите малыша произносить своё имя.

Скорее всего, поначалу оно будет звучать искажённо, например, вместо Ира — «Ия», вместо Гоша — «Гося» или даже просто «Го». Но в любом случае похвалите ребёнка. Пусть малыш посмотрит в зеркало и назовёт своё имя.

Варианты игры: предложите малышу представиться знакомым при встрече; спрятаться за дверь или занавеску и на вопрос: «Кто там?» назвать себя.

МОЯ СЕМЬЯ

Приклейте в центре солнышка фотографию вашего ребёнка, а вокруг поместите фотографии всех членов семьи. Кстати, ими могут оказаться и любимые домашние животные.

Пусть малыш сначала покажет и назовёт себя, а потом проведёт пальчиком по каждому лучику к портретам своих родных и назовёт их.

Разучите имена мамы, папы, бабушки, дедушки, брата, сестры...

место
для фотографии

Такие разные звуки (Звукоподражания)

МИР ВОКРУГ

Самолёт летит:
«У-У-У!»

Птичка поёт высоким голоском:
«И-И-И...»

Медвежонок заболел
и тихонько стонет: **«О-О-О...»**

Волк сердито рычит:
«Ы-Ы-Ы!»

Медведь-папа сопит
в берлоге: «Э-Э-Э...»

Лесное эхо отвечает:
«АУ-У-У!»

Ёжик фыркает:
«Ф-Ф-Ф...»

Стиральная машина
тихо гудит: «Н-Н-Н...»

КТО ПЛАЧЕТ, КТО СМЕЁТСЯ?

Свяжите наиболее яркие, хорошо знакомые ребёнку эмоциональные состояния с определёнными возгласами и звукоподражаниями. Для этого произносите их в соответствующих ситуациях и подкрепляйте мимикой, интонацией, а иногда и жестом. Междометием «Ах!» выражайте восторг и удивление, «Ай-ай-ай!» произносите, когда хотите пожурить малыша. Смех свяжите со звукоподражаниями «Ха-ха!» и «Хи-хи!».

Буратино смеётся:
«ХА-ХА!»

Котик хочет съесть рыбку.
«АЙ-АЙ-АЙ! Как плохо!»
(Погрозите пальцем.)

Мороженое упало —
девочка огорчилась: **«АХ!»**

Тарелка разбилась.
«ОЙ-ОЙ-ОЙ!»

Покажите малышу, как можно обозначить хорошо знакомые ему действия с помощью определённого сочетания звуков. Кормя ребёнка, говорите: «Ам-ам!» Купая, произносите: «Куп-куп!» Укладывая малыша спать, говорите: «Бай-бай!» Танцуя, напевайте: «Ля-ля-ля!»

«АМ-АМ!»

«БАЙ-БАЙ!»

«БУЛЬ-БУЛЬ!»

«ЛЯ-ЛЯ-ЛЯ!»

ЧТО ЗВУЧИТ?

Сначала назовите любимые игрушки малыша, а затем произнесите соответствующие звукоподражания. Например: «Вот машинка. Она гудит — БИ-БИ». «Это дудочка. Она играет — ДУ-ДУ». Потом попросите ребёнка самого показать свои игрушки и назвать их с помощью знакомых звукоподражаний. Точно так же поиграйте с картинками. Озвучивайте предметы, которые окружают ребёнка в быту.

Лошадка скачет:
«НО-НО!»

Бросая малышу мяч, произносите:
«ОП-ОП!»

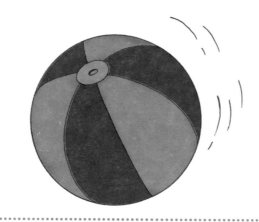

Изобразите, как упали кубики:
«БАХ!»

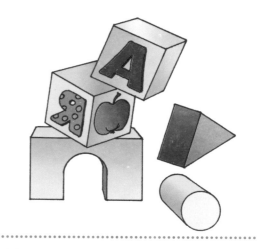

Машинка едет:
«БИ-БИ!»

Копая совочком песок, говорите:
«КОП-КОП!»

Поезд едет:
«ТУ-ТУ!»

Молотком стучат:
«ТУК-ТУК!»

По телефону говорят:
«АЛЁ-АЛЁ!»

Ключ в замке поворачивается:
«ЧИК-ЧИК».

Дудочка звучит так:
«ДУ-ДУ-ДУ!»

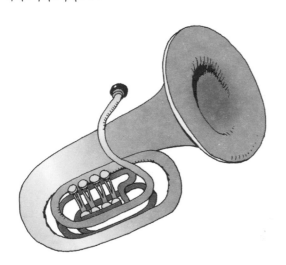

Часы тикают:
«ТИК-ТАК!»

Барабан бьёт:
«БУМ-БУМ!»

НА РАЗНЫЕ ГОЛОСА

Учите малыша копировать голоса животных. Покажите картинки и попросите показать, например, собачку. Скажите: «Как собачка лает? Собачка говорит: АВ-АВ». Также обыграйте остальные картинки.

Пчёлка жужжит:
«Ж-Ж-Ж!»

Мышка пищит:
«ПИ-ПИ-ПИ!»

Курочка кудахчет:
«КО-КО!»

Гусь гогочет:
«ГА-ГА!»

Поросёнок хрюкает:
«ХРЮ-ХРЮ!»

Утка крякает:
«КРЯ-КРЯ!»

ПОСЛУШАЙ СКАЗКУ

Расскажите ребёнку русскую народную сказку «Поспешили — насмешили». Стимулируйте его повторять вслед за вами знакомые звукоподражания, озвучивая сказочных персонажей.

Прискакала лягушка
к медвежьему дому.

1

Заквакала перед окном:
«**КВА, КВА, КВА**, к вам
в гости пришла!»

2

Прибежала мышка, запищала:
«**ПИ, ПИ, ПИ**, пироги у вас вкусны,
говорят!»

3

Пришла курочка и говорит:
«**КО, КО, КО**, корочки, рассыпчаты,
говорят!»

4

28

Приковыляли гуси и гогочут:
«ГА, ГА, ГА,
горошку бы поклевать!»

5

Корова пришла:
«МУ-У-У, мучное пойлице попью!»

6

Тут медведь из окна
высунулся и зарычал:
«Э-Э-Э...»

7

Гости и разбежались.
Да зря, трусишки, поспешили.
Медведь хотел сказать:
«Все-е-ем рад! Заходите, пожалуйста!»

8

РАЗВИВАЕМ СЛУХОВОЕ ВНИМАНИЕ

СЛУШАЙ И ПОВТОРЯЙ

Для развития речи ребёнку необходимо хорошее слуховое внимание, поэтому очень важно научить его прислушиваться к разным звукам. Проведите игры со звучащими игрушками. Это могут быть пищалки, озвученные мягкие игрушки, детские музыкальные инструменты. Когда малыш научится узнавать разные звуки, предложите определить последовательность звучаний разных игрушек («Что за чем?»), направление звука в пространстве («Где звенит?»). Вот некоторые игры, с которых можно начать знакомство малыша с миром звуков.

КТО КАК ГОЛОС ПОДАЁТ?

Возьмите игрушки: кошку, собачку, курочку. Покажите их ребёнку и напомните, какие звуки издают эти животные. Кошка мяукает: «Мяу!», собачка лает: «Ав-ав!», курочка кудахчет: «Ко-ко!»

Расставьте игрушки в ряд перед малышом и попросите отгадать, кто из животных сейчас будет говорить. Произносите звукоподражание «Мяу!» — ребёнок в зависимости от своих речевых возможностей может или указать на игрушку (взять её в руки), или назвать её. Если малыш успешно справится с заданием, в следующий раз добавьте ещё одну игрушку, например корову («Му!»). Доведите количество игрушек до 5–6. Вместо них можно использовать картинки с изображениями животных.

НА ЧЕМ ИГРАЮ?

Сначала предложите ребёнку поиграть с колокольчиком и барабаном. Затем спрячьте эти музыкальные инструменты за настольную ширму (можно поставить на стол большую книгу) и попросите отгадать, на чём вы сейчас будете играть. Узнав инструмент, малыш может сам на нём сыграть. В следующий раз добавьте дудочку, погремушку и гармошку.

ТЕЛЕФОН

Поднесите руку к уху, как будто держите трубку телефона, и попросите ребёнка тоже взять «трубочку». Попросите малыша повторять всё, что он услышит. Сначала произносите одинаковые слоги: ТА-ТА, ПА-ПА, НО-НО.

Затем — слоги с разными согласными звуками: МА-ДА, БУ-КУ, ТО-ПО.

И наконец — слоги с разными гласными звуками: НА-НО, ГУ-ГА, ТО-ТУ.

РАЗНЫЕ ИМЕНА

Предложите малышу рассмотреть картинку, а затем назвать вслсд за вами имена изображённых на ней детей: Тата, Вова, Нина, Ваня и Маня.

ПОХОЖИЕ ИМЕНА

Попросите ребёнка повторить за вами «А», а затем «НЯ». Скажите, прохлопывая слоги: «А», сделайте паузу и произнесите «НЯ». Также проговорите с малышом имена: «Ва-ня», «Та-ня», «Да-ня», с каждым разом паузу между слогами делайте всё меньше.
Затем проговорите имена : «О-ля», «То-ля», «По-ля», «Ко-ля».
Обсудите с ребёнком, чем занят каждый из названных вами детей.

А-НЯ
Аня идёт — ТОП-ТОП.

ВА-НЯ
Ваня даёт — НА!

ДА-НЯ
Даня стоит. Тут Даня. Там Таня.

ТА-НЯ
Таня танцует.

Попросите малыша повторить вслед за вами имена каждого ребёнка, изображённого на картинке. Затем спросите: «Где Оля?» Пусть ребёнок покажет девочку. Задайте следующий вопрос: «Где Толя?» Так ребёнок будет учиться различать слова, близкие по звучанию.

О-ЛЯ и **ТО-ЛЯ.**

ПО-ЛЯ и **КО-ЛЯ.**

Расскажем вместе

Показывайте малышу картинки и читайте рассказ «Прогулка», задавая к каждой картинке вопросы.

ЭТО МАЛЬЧИК ВОВА.

Как зовут мальчика?

1

У ВОВЫ ЕСТЬ КОТЁНОК. ВОВА ЗОВЁТ КОТЁНКА: «КИС-КИС-КИС!»

Как Вова зовёт своего котёнка?

2

ВОВА И КОТЁНОК ПОШЛИ ГУЛЯТЬ. ОНИ ШАГАЛИ ПО ДОРОЖКЕ — ТОП-ТОП.

Как Вова и котёнок шагают по дорожке?

3

ОКОЛО ДОМА ХОДИЛИ ПЕТУХ И КУРИЦА. ПЕТУХ ЗАМАХАЛ КРЫЛЬЯМИ И ЗАКРИЧАЛ: «КУ-КА-РЕ-КУ!» А КУРОЧКА ЗАКУДАХТАЛА: «КО-КО-КО!» КОТЁНОК ОТВЕТИЛ ИМ: «МЯУ!»

Что сказал петух? Что сказала курица? Что ответил им котёнок?

4

НА ЛУГУ ПАСЛИСЬ КОРОВА И КОЗОЧКА. КОРОВА ЗАМЫЧАЛА: «МУ-У-У!»

Как мычала корова?

5

А КОЗОЧКА ЗАБЛЕЯЛА: «БЕ-Е-Е!» КОТЁНОК ОТВЕТИЛ ИМ: «МЯУ!»

Что сказала козочка?
Что ответил котёнок?

6

НА ДЕРЕВЕ КОТЁНОК УВИДЕЛ ВОРОНУ. ВОРОНА КАРКАЛА: «КАР-КАР!» КОТЁНОК ВЕЖЛИВО СКАЗАЛ ЕЙ: «МЯУ!»

Как каркала ворона?
Что ответил ей котёнок?

7

ВДРУГ КОТЁНОК УСЛЫШАЛ: «Ш-Ш-Ш...» ЭТО ШИПЕЛА ЗМЕЯ. КОТЁНОК ХОТЕЛ СКАЗАТЬ ЕЙ: «МЯУ!», НО ТАК И НЕ УСПЕЛ. ЗМЕЯ УЖЕ СПРЯТАЛАСЬ В СВОЮ НОРКУ.

Как шипела змея?
Что хотел сказать ей котёнок?

8

ПЕРВЫЕ ФРАЗЫ

Стимулируйте малыша произносить простые фразы из двух слов: «Дай лялю», «На лялю». Учите малыша строить фразы из двух слов: «Это ляля», «Вот ляля», «Тут ляля», «Там ляля», «Нет ляли», «Где ляля?». Сначала ребёнку предлагайте произнести какое-либо звукоподражание, например «би-би», а затем просите заменить его целым словом («машина»), даже если он ещё не сможет произнести его правильно. Для таких речевых упражнений необходимо брать хорошо знакомые малышу игрушки и предметы ближайшего окружения.

Затем поиграйте с картинками. Спросите: «Где свинка?» Когда малыш её покажет, скажите: «Вот хрю-хрю». Закройте картинку ладонью и вновь спросите: «Где свинка?» Сами ответьте: «Нет хрю-хрю». Убрав ладонь с картинки, сообщите: «Вот свинка». Малышу наверняка захочется самому поиграть «в прятки».

ВСЕ ИГРУШКИ СПЯТ!

Скажите малышу, что ночью все игрушки крепко спят, и предложите рассказать об этом: «Вот ПИ-ПИ. ПИ-ПИ БАЙ-БАЙ!», «Вот АВ-АВ. АВ-АВ БАЙ-БАЙ!» и т. д.

КТО ТУТ?

Прочитайте малышу рассказ. Читайте по две фразы и стимулируйте малыша повторять их. Если малышу пока ещё трудно справиться с этим, задайте ему вопросы, указанные ниже.

ЭТО ОЛЯ. ЭТО КОЛЯ.

«Кто это?» — укажите на девочку.
«Кто это?» — укажите на мальчика.

ВОТ МАМА. МАМА КАТЯ.

Где мама? Как зовут маму?

ВОТ ПАПА. ПАПА ПЕТЯ.

Где папа? Как зовут папу?

ТУТ БАБА. БАБА ДАША.

Кто тут? Как зовут бабушку?

ТУТ ДЕДА. ДЕДА ПАША.

Кто тут? Как зовут дедушку?

Простые слова из двух слогов

ЧТО ЭТО?

Рассмотрите вместе с ребёнком картинки и предложите назвать каждый изображённый на них предмет.

ЛЫЖИ

ШУБА

ТУЧИ

МЫЛО

ЮЛА

ДЫНЯ

ЛИСА

ЧАСЫ

СОВА

КОЗА

ПИЛА

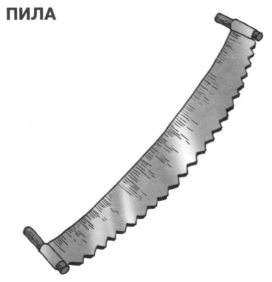

РЫБА

РАССКАЖИ САМ

Рассмотрите вместе с ребёнком картинку и составьте по ней рассказ. Предложите малышу повторить его.

ЭТО ЛЕНА.

ТАМ ДИМА.

У ДИМЫ МЯЧ.

Прочитайте малышу коротенький рассказ. Пусть он его перескажет, а затем выполнит несколько заданий на внимание. Попросите ребёнка внимательно рассмотреть картинку и показать, где на столе стоят чайник и чашки, где лежат яблоки. Пусть малыш найдёт и покажет тарелки.

ТУТ ТОМА.

ТАМ МАМА.

НА, ТОМА, НЕСИ!

Попросите ребёнка найти на картинке и показать, где лежит мяч, а где — кубики, где сидит поросёнок. Пусть малыш найдет на картинке кукольную посуду: чашку, чайник и ложку.

ВОТ НАТА.

У НАТЫ МИША.

У НАТЫ НЮША.

У НАТЫ ХРЮША.

У НАТЫ МЯЧ.

У НАТЫ ЧИЧИ.

ЧИЧИ БУХ! — УПАЛА.

АЙ-АЙ-АЙ, НАТА!

Слова из одного слога

ГДЕ?

Вместе с ребёнком рассмотрите и назовите, что нарисовано на картинках. Спросите малыша: «Где дом?» Пусть ребёнок покажет картинку и ответит: «Вот дом». Затем поменяйтесь ролями. Пусть малыш спрашивает вас, где находится та или иная картинка, а вы их показывайте и называйте.

КОТ

ГУСЬ

ЛУК

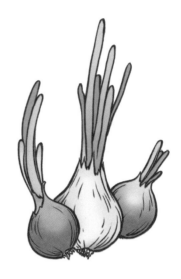

КИТ

ЁЖ

ДОМ

ЖУК

РАК

ПЕНЬ

ЛЕВ

СОМ

МАК

КОГО НЕТ?

Сначала вместе с ребёнком покажите и назовите все игрушки, изображённые на картинках. Затем проведите уже знакомую игру: закройте ладонью одно из изображений и сообщите: «Нет зайки». Убрав ладонь, скажите: «Вижу зайку». Теперь очередь малыша. Пусть он сам спрячет, а потом вновь покажет какую-нибудь игрушку, комментируя свои действия. Спросите ребёнка: «Кого нет?» («Нет ляли».) Если малыш ответит правильно, откройте картинку и спросите, кого же он видит. («Вижу лялю».) Теперь наступает очередь ребёнка проверить, насколько хороша ваша память.

В следующий раз можно прятать уже не по одной, а по две, три и даже четыре картинки, закрывая их не одной, а двумя руками.

ЗАЙКА

ЛЯЛЯ

ЛИСА

МЫШКА

СОБАКА

МИШКА

Расскажи и покажи сказку

«КУРОЧКА РЯБА»

Расскажите ребёнку сказку «Курочка Ряба», иллюстрируя её движениями и звукоподражаниями. Стимулируйте малыша повторять вслед за вами ваши действия и слова.

Жили-были дед и баба.
И была у них курочка ряба — **КО, КО, КО!**

Снесла курочка яичко,
Да не простое, а золотое.
(Округлите пальцы левой руки и соедините их кончики.)

Дед бил, бил —
(постучите правым кулаком по «яичку»)
не разбил
(покачайте головой из стороны в сторону).

Баба била, била —
(постучите правым кулаком по «яичку»)
не разбила
(покачайте головой из стороны в сторону).

Мышка — **ПИ-ПИ!** — бежала,
хвостиком махнула —
яичко упало — **БУХ!** И разбилось.
(Разведите руки в стороны.)

Дед плачет
(закройте лицо руками).

Баба плачет
(закройте лицо руками).

А курочка кудахчет: «КО, КО, КО!
Не плачь, дед,
не плачь, баба,
я снесу вам яичко,
другое, не золотое, а простое».

ГОВОРИМ ГРАМОТНО

ДАЙ ЗАДАНИЕ ДРУЗЬЯМ

Учите ребёнка произносить фразы, состоящие из имени собственного и глагола повелительного наклонения.

ТАНЯ, ИДИ!

ДАША, НЕСИ!

МАША, ДАЙ!

ВИТЯ, РИСУЙ!

ВАНЯ, БЕГИ!

ПЕТЯ, ЛОВИ!

МИТЯ, ПЛЯШИ!

ВАСЯ, ИГРАЙ!

ХУДОЖНИКИ

Учите ребёнка строить фразы, употребляя в них существительные в косвенных падежах (винительном и творительном). Сначала вместе с ребёнком назовите все предметы на картинках, а потом попросите малыша ответить на вопрос: «Что нарисовали дети?» Дайте ребёнку образец ответа: «Мальчик нарисовал ёлочку». При этом каждому слову во фразе надо дать зрительное подкрепление. Так произнося «мальчик», следует показать на него, говоря «нарисовал» — на кисточку, а заканчивая предложение словом «ёлочку» — указать на соответствующий рисунок.

В следующий раз предложите ребёнку самому рассказать, кто что нарисовал. Например: «Девочка нарисовала куклу», «Мальчик нарисовал машину».

Затем задайте малышу вопрос: «Чем рисовала девочка?» (Карандашом.) «Чем рисовал мальчик? (Кисточкой.)

ТЕЛЕФОН

Предложите ребёнку показать и рассказать, кому бы он хотел позвонить. Дайте речевой образец использования существительного в дательном падеже. Например: «Я звоню мишке». Произнося фразу, сначала покажите на телефон, потом проведите указательным пальцем по проводу до картинки с медведем. Пусть малыш сам выберет сказочных персонажей, с которыми хотел бы поговорить по телефону.

ОДИН — МНОГО

Предложите ребёнку рассказать, как много игрушек в игрушечном магазине. Дайте малышу образец составления фразы с существительным в единственном и во множественном числе. Например: «Это кубик, а это кубики». Произнося фразу, показывайте на соответствующие картинки.

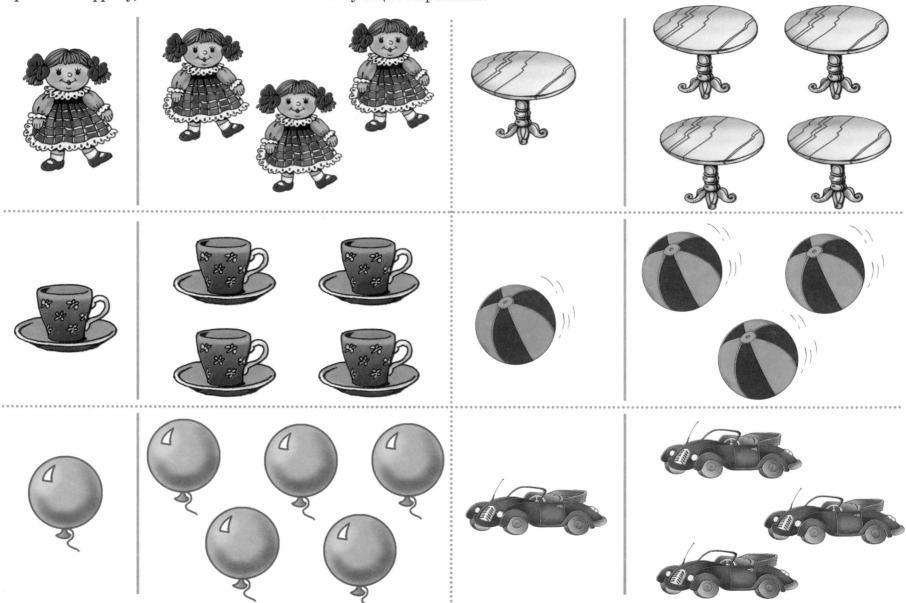

БОЛЬШОЙ — МАЛЕНЬКИЙ

Скажите ребёнку, что у девочки Тани есть кукла Ляля. Покажите и расскажите, какая у них одежда и обувь: у девочки — большая, а у куклы — маленькая. Дайте малышу образец образования существительных с уменьшительно-ласкательными суффиксами. Например: «У Тани юбка, а у Ляли — юбочка». Произнося слова, показывайте на соответствующие картинки.

РАЗНОЦВЕТНАЯ ИГРА

Учите малыша различать и называть 4 основных цвета: красный, синий, жёлтый и зелёный. Если ребёнок часто путает цвета, то можно использовать следующие сравнения: «Красный, как помидор», «Синий, как небо», «Жёлтый, как солнце», «Зелёный, как ёлочка».

Спросите малыша, какого цвета предметы на этих картинках. Следите за тем, чтобы ребёнок правильно произносил окончания прилагательных в мужском, женском и среднем роде. Например, «красный мячик», «красная машинка», «красное яблоко».

ПРЯТКИ

Скажите ребёнку, что этот кот любит играть в прятки. Продемонстрируйте, как используя предлоги [НА], [В], [ПОД] и [ЗА], можно рассказать о том, где прячется котик. После этого укажите на каждую картинку и задайте ребёнку вопрос: «Где кот?»

Расскажите малышу, откуда вылезет кот, когда игра закончится: «из коробки», «из-под коробки», «из-за коробки» и наконец «спрыгнет с коробки».

Полезно провести такую же игру с реальными предметами. На глазах у ребёнка перемещайте игрушку: на стол, под стол, в ящик, за занавеску... Комментируйте свои действия, используя знакомые малышу предлоги.

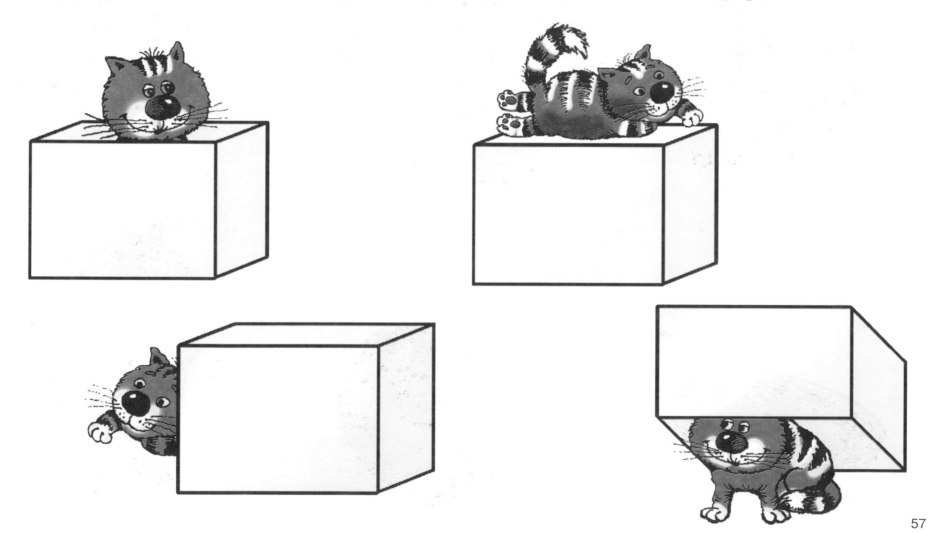

ЧТО ГДЕ?

Попросите ребёнка показать на картинке сначала одежду, потом посуду и наконец игрушки. (Формируйте у малыша и другие обобщающие понятия: овощи, фрукты, деревья, цветы, животные и транспорт.)

РАЗНЫЕ ИНТОНАЦИИ

ТУК-ТУК... КТО ТАМ? ТАМ МАМА.
ИДИ, МАМА, СЮДА! МЫ ТУТ!

ТУК-ТУК... КТО ТАМ? ТАМ БАБА.
ИДИ, БАБА, СЮДА! МЫ ТУТ!

ТУК-ТУК... КТО ТАМ? ТАМ ТЁТЯ.
ИДИ, ТЁТЯ, СЮДА! МЫ ТУТ!

ТУК-ТУК... КТО ТАМ? ТАМ ТАТА.
ИДИ, ТАТА, СЮДА! МЫ ТУТ!

Слова из двух слогов (открытого и закрытого)

СЪЕДОБНОЕ — НЕСЪЕДОБНОЕ

Сначала вместе с ребёнком рассмотрите и назовите все предметы, изображённые на картинках. Затем попросите малыша быть внимательным и найти только то, что можно есть (это фрукты: банан, груша, лимон). Потом попросите показать и назвать все остальные (несъедобные) предметы.

КНИ-ГА   **БА-НАН**   **ГРУ-ША**

ДИ-ВАН   **ТО-ПОР**   **У-ТЮГ**

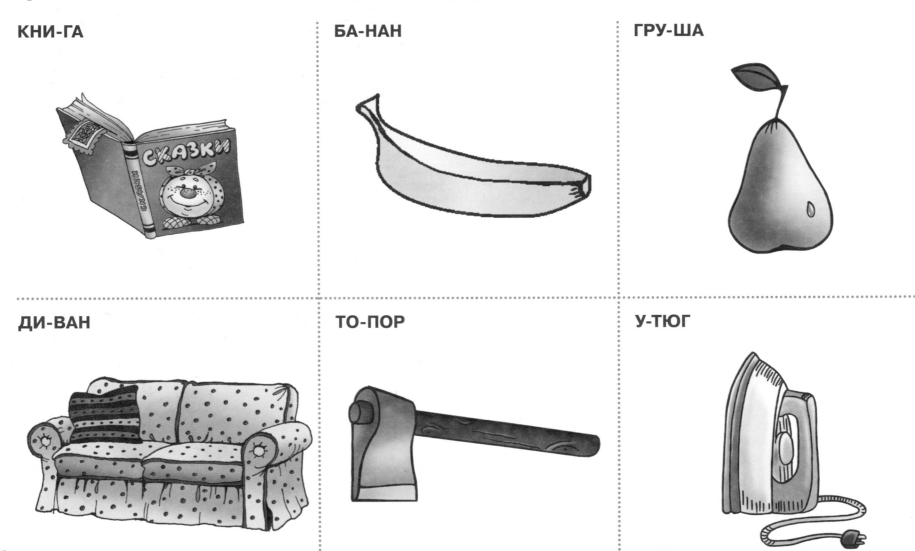

Слова из двух слогов со стечением согласных в середине слова

ЧТО НАДЕНЕМ НА СЕБЯ?

Сначала вместе с ребёнком рассмотрите и назовите все предметы, изображённые на картинках. Затем ещё раз рассмотрите рисунки и назовите только те предметы, которые можно надеть на себя. Предложите малышу самому найти и показать то, во что он может одеться или обуться. Употребляйте слова: «одежда» и «обувь».

НОС-КИ

ТАП-КИ

ШАП-КА

САН-КИ

ТУФ-ЛИ

МАЙ-КА

ЧАШ-КА

ЛОЖ-КА

Расскажи и покажи сказку

«РЕПКА»

Расскажите ребёнку сказку «Репка», показывая героев и иллюстрируя подходящими по смыслу движениями. Затем попросите малыша самого показать и назвать всех персонажей сказки.

При последующих пересказах сказки стимулируйте малыша копировать движения и вставлять в ваш рассказ знакомые слова и словосочетания. Делайте паузы перед теми словами, которые ребёнок может произнести самостоятельно.

Посадил дед репку
(покажите на рисунке деда).

Выросла репка большая-пребольшая
(покажите руками, какая репка большая).
Пошёл дед репку рвать: тянет-потянет — вытянуть не может! (Изобразите на лице огорчение.)

Позвал дед бабку:
бабка за дедку,
дедка за репку —
тянут-потянут — вытянуть не могут!
(Возьмитесь за руки и потяните друг друга.)

Позвала бабка внучку:
внучка за бабку,
бабка за дедку,
дедка за репку —
тянут-потянут —
вытянуть не могут.

Позвала внучка Жучку:
Жучка за внучку,
внучка за бабку,
бабка за дедку,
дедка за репку —
тянут-потянут — вытянуть не могут!

Позвала Жучка кошку:
кошка за Жучку,
Жучка за внучку,
внучка за бабку,
бабка за дедку,
дедка за репку —
тянут-потянут — вытянуть не могут!

Посмотри внимательно на картинку. Какого героя сказки забыл нарисовать художник?

Позвала кошка мышку:
мышка за кошку,
кошка за Жучку,
Жучка за внучку,
внучка за бабку,
бабка за дедку,
дедка за репку —
тянут-потянут —
вытянули репку!
(Отпустите руки,
разведите их в стороны.
Выразите радость на лице.)

Сложные слова из одного слога со стечением согласных

Учите ребёнка произносить слова со стечением согласных, когда несколько согласных звуков стоят в слове один за другим. Такие слова наиболее сложны для произношения: малыши часто пропускают один из согласных. Например, вместо слова «снег» у них получается «сек». Бывает и наоборот, когда ребёнок вставляет между согласными лишний гласный звук. В этом случае слово «снег» будет звучать уже как «сенек».

Вместе с малышом рассмотрите картинки и назовите нарисованные предметы.

КЛЮЧ

ЗМЕЙ

СТОЛ

ХЛЕБ

ГРИБ

ЛИСТ

НАША МЕБЕЛЬ

Сначала попросите малыша назвать все предметы мебели, которые он видит на картинках. Затем поручите найти только стулья, после этого столы и наконец шкафы. Спросите, что должно быть нарисовано в пустой клеточке.

Наши пальчики играют

Стимулируйте малыша совершать движения и повторять слова народных песенок-потешек.

ГУЛИ-ГУЛИ

Гули, гули, полетели (взмахните перед собой кистями),
На головку гули сели (положите обе руки на голову),
Сели, посидели (покачайте головой),
Опять полетели (взмахните перед собой кистями рук).

Играя во второй раз, слово «гули» можете заменить на «ути».

ПОЕХАЛИ-ПОЕХАЛИ!

Перед началом игры посадите ребёнка на стул. Подготовьтесь к тому, что темп будет нарастать!

По-е-ха-ли по-ти-хо-неч-ку,
По-е-ха-ли по-ти-хо-неч-ку
(ладонями попеременно слегка касайтесь колен),
И быстренько, и быстренько,
И быстренько, и быстренько,
И быстренько, и быстренько
(хлопайте ладонями попеременно по коленям в нарастающем темпе),
И при-е-ха-ли!
(Слегка наклоните голову и опустите руки на колени.)

ВЕСЁЛЫЕ ЛАДОШКИ

Сядьте с ребёнком на ковёр напротив друг друга, ноги широко расставьте.

Хлоп (хлопните в ладоши)!
Раз (легко ударьте себя по коленям)!
Ещё (хлопните в ладоши)
Раз (легко ударьте себя по коленям)!
Мы похлопаем сейчас (похлопайте в ладоши)!
А теперь скорей, скорей!
Шлёпай, шлёпай веселей!
(Наклонившись вперед, быстро, в такт, шлепайте ладонями по ковру перед собой.)

КУКУШЕЧКА

Ку-ку, ку-ку, кукушечка
(ладони прижмите к щекам и покачайте головой из стороны в сторону
4 раза),

Лети скорей в лесок
(слегка разведите руки в стороны и
3 раза взмахните ладонями,
как крыльями),

Ку-ку, ку-ку, кукушечка
(ладони прижмите к щекам и покачайте головой из стороны в сторону
4 раза),

Подай свой голосок
(слегка разведите руки в стороны
и 3 раза взмахните ладонями, как
крыльями)!

Ритм движений должен совпадать
с ритмом стихотворения.

ЦЫПА-ЦЫПА

Цыпа-цыпа (обеими руками «насыпайте» корм, потирая большим
пальцем подушечки остальных
пальцев, начиная с мизинца),

Гуль, гуль, гуль!

Я насыплю —

Ты поклюй (покажите, как
пальчики «клюют» корм: указательными пальцами обеих рук
попеременно стучите по столу) —

Ты поклюй!

Клю-клю-клю!

СОВУШКА-СОВА

Совушка-сова,

Большая голова (руки положите
на голову, покачайте головой
из стороны в сторону),

На суку сидела (не убирая рук
с головы, покрутите ею из стороны
в сторону),

Головой вертела.

Во траву свалилася
(уроните руки на колени),

В яму провалилася (уберите руки
с колен и уроните их «в яму»).

Слова из трёх открытых слогов

ГОВОРИМ И ХЛОПАЕМ

Предложите ребёнку говорить и одновременно хлопать в ладоши. На каждый слог совершается один хлопок; в результате каждое слово будет сопровождаться тремя хлопками. В следующий раз предложите малышу произносить слова и при этом шагать на месте — на каждый слог следует делать один шаг. И наконец попробуйте вместе с ребёнком произносить слова из трёх слогов и при этом делать зарядку. Например, проговаривая слово «со-ба-ка», на слог «со» — поднять руки вверх, на слог «ба» — развести их в стороны, на слог «ка» — опустить.

МА-ШИ-НА

СА-ПО-ГИ

ГА-ЗЕ-ТА

СО-БА-КА

КУ-РИ-ЦА

КО-РО-ВА

ВО-РО-НА

РА-КЕ-ТА

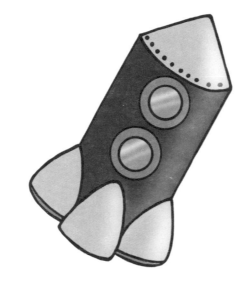

ДЕ-РЕ-ВО

ПА-НА-МА

СО-РО-КА

КУ-БИ-КИ

Сложные слова из двух слогов (оба слога закрытые)

СКАЖИ КАКОЙ

Сначала вместе с ребёнком рассмотрите все рисунки и объясните, что на них изображено. Затем расскажите о качествах этих предметов. Пусть малыш придумает нужные фразы сам или повторит их вслед за вами.

ЛИС-ТОК ЗЕЛЁНЫЙ.

БУБ-ЛИК ВКУСНЫЙ.

ДЕЛЬ-ФИН СЕРЫЙ.

ПИД-ЖАК НОВЫЙ.

ЧАЙ-НИК ГОРЯЧИЙ.

ПАВ-ЛИН КРАСИВЫЙ.

НАЙДИ ОТЛИЧИЯ

Попросите малыша внимательно посмотреть на пары похожих картинок и объяснить, чем они отличаются.

ЛИС-ТОК

МАЛЬ-ЧИК

КУВ-ШИН

ЗОН-ТИК

Глаголы третьего лица

КТО ЧЕМ ЗАНЯТ?

Рассмотрите вместе с ребёнком картинки и расскажите, чем заняты люди. Затем поручите малышу самому рассказать, что они делают.

КРАН ПОДНИМАЕТ ГРУЗ.

ЕГОР ВАРИТ СУП.

ДЕНИС КРАСИТ ЗАБОР.

ЖЕНЯ ПОЁТ: «ЛЯ-ЛЯ-ЛЯ!»

СЕРЁЖА ДЕРЖИТ СОМА.

УХ, ТЯЖЕЛО!

ПТИЧКА ЛЕТИТ В КЛЕТКУ.

БЕЛКА НЕСЁТ ШИШКУ.

ПЕТУШОК ПОЁТ ПЕСЕНКУ: «КУ-КА-РЕ-КУ!»

Трудные слова из трёх слогов
(двух открытых и одного закрытого)

ЧТО ДЕЛАЕТ?

Рассмотрите вместе с ребёнком картинки и назовите все предметы, изображённые на них.
Затем дайте малышу задание рассказать, что делает каждый из них.

ПА-РО-ВОЗ ЕДЕТ.

КА-ПУС-ТА РАСТЁТ.

НОЖ-НИ-ЦЫ РЕЖУТ.

БА-РА-БАН ЗВУЧИТ.

МУ-РА-ВЕЙ ИДЁТ.

ТЕ-ЛЕ-ФОН ЗВОНИ́Т.

МО-ЛО-ТОК СТУЧИТ.

А-НА-НАС ЖЕЛТЕЕТ.

ВА-СИ-ЛЁК ЦВЕТЁТ.

БЕ-ГЕ-МОТ ЗЕВАЕТ.

БА-БОЧ-КА ЛЕТИТ.

КА-БА-ЧОК РАСТЁТ.

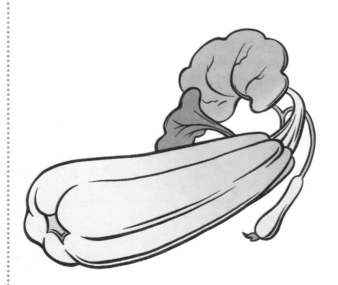

Послушай и повтори

ДЕНЬ РОЖДЕНИЯ

Показывайте малышу по одной сюжетной картинке и читайте подписи под ними. Просите ребёнка самого пересказывать то, что он услышал. Если нужно, подсказывайте малышу: начинайте фразы, показывайте героев рассказа.

ЭТО ВОВА.

ВОВА СПИТ.

ВОВА ВИДИТ СОН.

КТО ЭТО?

ЭТО КОТЁНОК.

1

У ВОВЫ ДЕНЬ РОЖДЕНИЯ. НА, ВОВА, ТОРТ.

НА, ВОВА, КОТЁНКА.

2

СПАСИБО, МАМА!

СПАСИБО, ПАПА!

3

ВОВА ОЧЕНЬ РАД!

У ВОВЫ КОТЁНОК КУЗЯ!

4

Посмотри и расскажи

НАШЕ УТРО

Покажите малышу сюжетные картинки и прочитайте рассказ.
Затем предложите ребёнку самому рассказать то, что он запомнил, глядя на картинки.

УТРО.

ВОВА УМЫВАЕТСЯ,

И КУЗЯ УМЫВАЕТСЯ.

1

ВОВА ДЕЛАЕТ ЗАРЯДКУ,

И КУЗЯ ДЕЛАЕТ ЗАРЯДКУ.

2

ВОВА РЕШИЛ ИСПЕЧЬ МАМЕ

ПРАЗДНИЧНЫЙ ПИРОГ.

3

ВОВА РАСКАТЫВАЕТ ТЕСТО,

И КУЗЯ ЕМУ ПОМОГАЕТ.

4

ПОЙДЕМ ГУЛЯТЬ

Покажите малышу сюжетные картинки и прочитайте рассказ.
Затем предложите ребёнку самому рассказать то, что он запомнил, глядя на картинки.

ЗИМА. ХОЛОДНО.

ВОВА ТЕПЛО ОДЕЛСЯ.

ВОВА ПОЙДЁТ ГУЛЯТЬ.

1

А КАК ЖЕ КУЗЯ?

КОТЁНОК ТОЖЕ

ХОЧЕТ ГУЛЯТЬ.

ВОВА ОДЕВАЕТ КУЗЮ.

2

У КУЗИ ТЁПЛАЯ ШАПКА.

У КУЗИ ТЁПЛЫЙ ШАРФ.

3

КУЗЯ ПОЙДЁТ ГУЛЯТЬ!

КУЗЮ НЕ УЗНАТЬ!

4

Придумай и расскажи

КОТЁНОК КУЗЯ И ВОРОНА

Предложите ребёнку самому рассмотреть картинки и попробовать по ним придумать маленький рассказ. Если нужно, помогите ему. Вот один из вариантов рассказа.

КОТЁНОК КУЗЯ УВИДЕЛ ВОРОНУ.

1

ВОРОНА СИДИТ НА ДЕРЕВЕ. КУЗЯ ЗАХОТЕЛ ПОЙМАТЬ ВОРОНУ.

2

КОТЁНОК ЗАЛЕЗ НА ДЕРЕВО. ВОРОНА УЛЕТЕЛА.

3

А КУЗЯ НЕ УДЕРЖАЛСЯ И УПАЛ С ДЕРЕВА.

4

ГОВОРИМ КРАСИВО И ПРАВИЛЬНО

Этот раздел включает упражнения для уточнения и закрепления в речи ребёнка младшего возраста всех гласных и доступных ему согласных звуков русского языка.

В занимательной форме малыш под руководством взрослого будет знакомиться со звуками, учиться выполнять определённые движения губами и языком. В результате ребёнок сможет не только чётко и красиво произносить звуки, но и станет прислушиваться к похожим по звучанию словам, различать их на слух. Ведь без развития артикуляционной моторики и речевого слуха невозможно научиться говорить правильно.

Предложенные в альбоме игровые логопедические задания составлены таким образом, что уточнение и закрепление каждого звука сопровождается голосовыми и дыхательными играми. Кроме того, малышу предлагаются подвижные игры, игры с пальчиками, задания, направленные на развитие речевого слуха (различение похожих на слух слов, звуков речи); на автоматизацию и дифференциацию звуков — произнесение пар и цепочек слогов, близких по звучанию.

Учите малыша повторять стишки-чистоговорки. Они помогут ему научиться произносить согласные звуки в сочетании с разными гласными в слогах и словах. Например: «ТА-ТА-ТА — хвост пушистый у кота, БУ-БУ-БУ — подарили мне трубу». Как показывает опыт, малыши легко запоминают такие чистоговорки и с удовольствием повторяют их вслед за взрослым. И наконец, для закрепления новых звуков во фразах ребёнку предлагаются для проговаривания народные потешки и короткие стихи из 2–4 строчек. Играя вместе со взрослым в занимательные логопедические игры, малыш получит свои первые знания о языке и постепенно научится правильно и красиво произносить звуки родной речи.

Звукопроизношение в дошкольном возрасте (логопедическая справка для взрослых)

Звуки речи появляются у ребёнка не все сразу, а постепенно — начиная с более простых и заканчивая сложными. Этот процесс длится в течение всего дошкольного детства. Взрослому важно знать, в каком возрасте доступны маленькому ребёнку те или иные звуки речи.

Так, малышу 2 лет полезно уточнить в логопедических играх следующие гласные звуки: **[а], [у], [и], [о].** Лишь затем можно переходить к знакомству с более сложными согласными звуками: **[м], [н], [п], [б].** Остальные звуки родного языка малыш этого возраста может произносить ещё не достаточно четко (смягчённо), поэтому игры с ними пока не рекомендуются.

Ребёнку 3 лет после знакомства с уже перечисленными выше звуками нужно научиться чётко произносить гласные звуки **[э]** и **[ы]**, «изучить» согласные звуки: **[т], [д]; [ф], [в]; [к], [г], [х].** Малыш может смягчать некоторые согласные. Так, он чаще всего заменяет свистящие звуки **[с], [з]** и шипящие **[ш], [ж]** на более простые по артикуляции звуки — **[ф], [в]; [т]; [сь], [зь].** Сонорные же **[л]** и **[р]**, как правило, отсутствуют или заменяются на мягкий звук **[ль]** или звук **[й].**

В норме к 4 годам у ребёнка должна исчезать общая смягчённость речи. Поэтому лишь со среднего дошкольного возраста артикуляционный аппарат дошкольника будет готов к тому, чтобы учиться правильному произношению более сложных звуков родного языка: свистящих — **[с], [з], [ц]** и шипящих — **[ш], [ж], [ч], [щ].**

Работа же над самыми сложными для детей сонорными звуками **[л]** и **[р]** начинается с 5 лет.

Звук [А]. Логопедическая зарядка

Поиграйте с малышом в игры, которые подготовят его к произнесению гласного звука **[А]**.

БЕГЕМОТИКИ

Скажите ребёнку:

— Эти бегемотики открывают ротики.
Вот так. Кто шире?
Несколько раз широко откройте и закройте рот.

ПОКРАСИМ ГУБКИ

Попросите ребёнка пропеть звук **[А]** и одновременно обвести указательным пальцем большой кружок — такой же большой, как его ротик, когда он произносит этот звук. Теперь пусть малыш обведёт указательным пальчиком свои губы в момент произнесения звука **[А]**.
Скажите: «Так мама красит губы помадой».
Спросите у ребёнка, какой у него сейчас был ротик — большой или маленький.

ПОЗЕВАЕМ

Котик зевает — роток открывает.
А люди зевают — свой рот прикрывают!

Длительно произносите звук **[А]**.
При этом быстро то прикрывайте рот ладонью, то открывайте его.
Получится звук, похожий на клич индейцев.

УЛОЖИМ КУКЛУ СПАТЬ

Расскажите ребёнку, что когда младенцев укладывают спать, им поют песенку. Длительно пропойте звук **[А]**, интонируя его. Попросите ребёнка самого спеть такую же колыбельную песенку для куклы.

ЗВУКОВАЯ ДОРОЖКА

Покажите малышу, как можно «пройти» по дорожке: проведите указательным пальцем по дорожке от девочки Али до куклы Ляли. Одновременно пойте на одной ноте звук **[А]**. Попросите ребёнка показать, где тут Аля, а где Ляля.

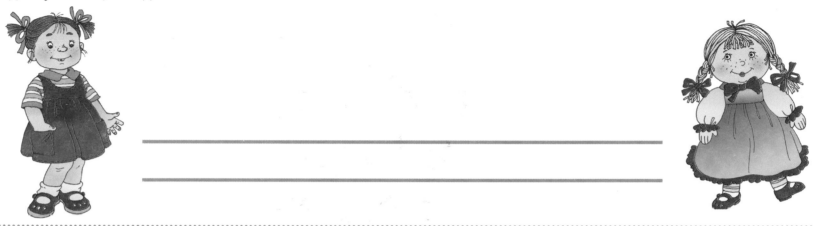

ВОЗДУШНЫЕ ШАРИКИ

Скажите ребёнку, что у куклы Ани большие воздушные шарики. Предложите малышу показать все воздушные шары: продемонстрируйте, как указательным пальцем ведущей руки нужно прикасаться к шарикам и одновременно каждый раз произносить звук **[А]**:
— Чтобы ротик был большой, как этот шар.
Затем попросите ребёнка «привязать» к шарикам ниточки, чтобы они не улетели: пусть он проведёт пальчиком от куклы до шарика, одновременно пропевая звук **[А]**.

УЗНАЙ ПО ГОЛОСУ

Предложите малышу повторить звукоподражания: «АВ-АВ!» — собачка лает, «АМ-АМ!» — обезьянка ест, и покажите ему соответствующие картинки. Теперь произнесите звукоподражание «АВ-АВ!» и спросите малыша, кто это голос подаёт? Пусть он покажет соответствующую картинку. Затем произнесите «АМ-АМ!» и попросите показать картинку.

УЗНАЙ И НАЗОВИ

Вместе с ребёнком назовите все предметы на картинках: АСТРЫ, АНАНАС, АИСТ.
Звук [А] в словах произносите утрированно. Покажите малышу, какая из этих картинок находится слева, какая справа, а какая — посередине.

| АСТРЫ | АНАНАС | АИСТ |

ПРЯТКИ

Предложите малышу показать и назвать на картинке всех членов семьи: «Мама, папа, баба, Ваня, Таня». Затем спрячьте кого-нибудь из них: накройте портрет ладонью. Пусть малыш позовёт того, кто спрятался, например: «МАМА». Если ребёнок отгадал правильно, откройте соответствующее изображение.

ЛАДУШКИ

Произносите потешку и одновременно выполняйте движения руками:

— Ой ладушки, ладушки (хлопайте в ладоши). Где были?
— У бабушки.
Испекла нам бабушка (ладонью одной руки хлопайте по ладони другой, как будто перекладывая оладушки из руки в руку)
Вкусные оладушки.

Звук [У]. *Логопедическая зарядка*

Поиграйте с малышом в игры, которые подготовят его к произнесению звука [У].

СЛОНИК

Покажите малышу, как надо с напряжением вытянуть вперёд губы, чтобы они напоминали хобот слона. Скажите:

> Губки в трубочку сложу —
> Хоботок всем покажу.

А теперь подуй в хоботок, как слоник.

ПОКРАСИМ ГУБКИ

Попросите ребёнка пропеть звук [У] и одновременно обвести указательным пальцем маленький красный кружок — такой же маленький, как его ротик, когда он произносит этот звук. Теперь пусть малыш обведёт указательным пальчиком свои губы в момент произнесения звука [У]. Спросите у ребёнка, какой у него сейчас был ротик — большой или маленький.

ПТЕНЧИК

Покажите ребёнку, как указательными пальчиками можно сжать с двух сторон губы (слева и справа в направлении к центру), чтобы получился клювик, как у птенчика. Скажите ребёнку:

> Птенчик, птенчик!
> Пи, пи, пи!
> Хочет кушать.
> Покорми!

САМОЛЕТ

Поиграйте в подвижную игру «Самолёт»: разведите руки в стороны, как крылья, и шагайте, помахивая ими. Скажите малышу:

> Самолёт летит, гудит.
> Смелый лётчик в нём сидит.
> У-у-у! Я лечу-у-у, куда хочу-у-у!

ЗВУКОВАЯ ДОРОЖКА

Скажите малышу: «Когда поезд подъезжает к станции, он громко гудит: „У-у-у!"» Пусть ребёнок сам «погудит», как паровоз. Расскажите, что девочка Уля встречает своих дпузей Мусю, Дусю и Кузю. Затем покажите малышу, как «провезти» поезд до станции: проведите указательным пальцем по дорожке от поезда до домика. При этом длительно пойте на одной ноте звук [У].

....

МЫ НА ДУДОЧКЕ ИГРАЕМ!

Покажите малышу, как пальцами ведущей руки (начиная с указательного) нужно прикасаться к кнопочкам на дудочке и одновременно произносить звук: «У, у, у, у».

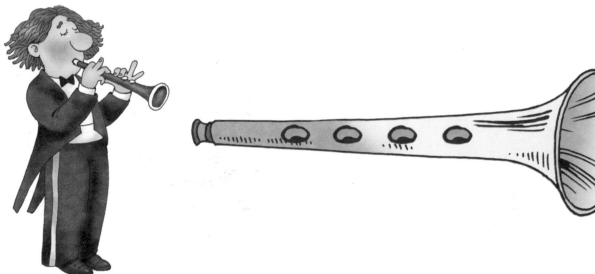

УЗНАЙ И ПОКАЖИ

Предложите малышу повторить звукоподражания: «МУ-МУ!» — так мычит корова; «ДУ-ДУ!» — так играет дудочка, и покажите ему соответствующие картинки. Поиграйте в пальчиковую игру «Дудочка»: расположите кисти рук одну за другой перед ртом в виде дудочки. Попеременно приподнимайте и опускайте пальцы, имитируя игру на дудочке. Одновременно произносите: «ДУ-ДУ-ДУ, ДУ-ДУ-ДУ!»

Затем научите ребёнка пальчиковой игре «Корова»: сожмите пальцы в кулак, выставив из него указательный и средний. Этими «рогами» можно бодать друг друга, одновременно произнося: «МУ-У! МУ-У!»

А теперь произносите по очереди звукоподражания «МУ-МУ!» и «ДУ-ДУ!». При этом каждый раз спрашивайте малыша, что он сейчас слышал — голос коровы или игру на дудочке.

УЗНАЙ И НАЗОВИ

Вместе с ребёнком назовите предметы на картинках: **УТКА, УЛИЦА, УЛИТКА.**

Звук [У] в словах произносите утрированно. Покажите малышу, какая из этих картинок находится слева, какая справа, а какая — посередине.

УТКА   **УЛИЦА**   **УЛИТКА**

МАЛЫШ

Скажите ребёнку, что этот малыш ещё не умеет разговаривать. Когда он зовёт маму, то громко плачет: «УА, УА!» Попросите ребёнка изобразить плач малыша: пусть он произносит звуки [У], [А], то вытягивая губы трубочкой, то широко открывая рот.

В ЛЕСУ

Чтобы не заблудиться в лесу, люди громко перекликаются: «АУ! АУ!» Покричите с ребёнком друг другу: «АУ!»

УЗНАЙ ПО ГОЛОСУ

Произнесите звукоподражания: «АУ» или «УА» и спросите ребёнка, что он сейчас слышал — как кричат в лесу или как плачет малыш.

ВОРОН

Произносите потешку и одновременно выполняйте движения руками:

Ой, ду-ду, ду-ду, ду-ду
(играйте на воображаемой дудочке),
Сидит ворон на дубу
(поставьте руки на пояс и покачивайте головой из стороны в сторону),
Он играет во трубу
(играйте на воображаемой дудочке),
Во серебряную
(поставьте руки на пояс и покачивайте головой из стороны в сторону).

91

Звук [О]. *Логопедическая зарядка*

Поиграйте с малышом в игры, которые подготовят его к произнесению звука [О].

ОКОШКО

Покажите малышу, как надо округлить губы и слегка вытянуть их вперёд, чтобы они напоминали рупор (губы имеют форму вытянутого сверху вниз овала). Скажите ребёнку:

> Губки круглые сложи и окошко покажи.
> Молодец! Вот какое большое окошко у тебя получилось.
> Но окна бывают разные — большие и маленькие.
> Давай покажем маленькое окошечко.

Поменяйте положения губ — вытяните губы вперёд трубочкой. Несколько раз подряд меняйте артикуляционные позы, как будто вы последовательно произносите звуки [О] и [У].

ПОКРАСИМ ГУБКИ

Попросите ребёнка пропеть звук [О] и одновременно обвести указательным пальцем большой красный овал — такой же формы, как его ротик, когда он произносит этот звук. А теперь пусть малыш обведёт указательным пальчиком свои губы в момент произнесения звука [О].

КУКЛА ЗАБОЛЕЛА

Длительно тяните звук [О]. Скажите малышу, что так стонут, когда что-то болит. Поиграйте вместе в игру «У куклы Оли заболели зубы»: приложите ладони к щекам и, покачивая головой из стороны в сторону, жалобно пропойте: «О-о-о». Спросите ребёнка: как зовут куклу, что у неё болит.

ЗАРЯДКА

Проведите с ребёнком звуковую гимнастику: поднимите руки вверх и пропойте звук [А]; затем разведите руки в стороны и одновременно произнесите звук [О], наконец опустите руки вниз с одновременным произнесением звука [У].

ЗВУКОВАЯ ДОРОЖКА

Покажите малышу картинку и скажите: «Девочка Оля поёт свою любимую песенку: „О-о-о-о...“

А мальчик Коля пришёл её послушать. Проведи Колю по дорожке до его подружки Оли и спой песенку: „О-о-о...“»

Попросите малыша показать и назвать детей по именам. Затем спросите его: «Где здесь Оля? А где Коля?»

ФУТБОЛ

Начинается футбол.
Забиваю сразу гол!
Смотри, как это делается.

(Проведите указательным пальцем от мяча к воротам, при этом длительно произносите: «Го-о-ол!»)
Предложите ребёнку самому «забить» гол в ворота.

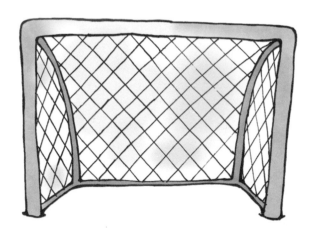

93

УЗНАЙ ПО ГОЛОСУ

Разучите с ребёнком звукоподражания: «КО-КО!» — курочка кудахчет; «НО-НО!» — всадник погоняет свою лошадку. Произносите эти звукоподражания и показывайте соответствующие картинки.

Затем произносите звукоподражания «КО-КО!» и «НО-НО!» по очереди и каждый раз спрашивайте малыша, что он слышал: как кудахчет курочка или как погоняют лошадку.

УЗНАЙ И НАЗОВИ

Вместе с ребёнком назовите предметы на картинках: **ОБЛАКО, ОЗЕРО, ОСЛИК.** Звук **[О]** в словах произносите утрированно. Покажите малышу, какая из этих картинок находится слева, какая справа, а какая — посередине.

ОБЛАКО   **ОЗЕРО**   **ОСЛИК**

ПОПЛЯШИ

Скажите:
Мы топаем ногами:
Топ-топ-топ
(топайте).
Мы хлопаем руками:
Хлоп-хлоп-хлоп
(хлопайте).

Затем произносите только звукоподражания «ТОП-ТОП-ТОП!» и «ХЛОП-ХЛОП-ХЛОП!», а ребёнка попросите выполнять соответствующие движения. И наконец, пусть малыш сам произносит звукоподражания и вместе с вами выполняет нужные движения.

ЧИТАЕМ ВМЕСТЕ

Несколько раз прочитайте четверостишие:

Бом-бом, бом-бом!
Загорелся кошкин дом.
Бежит курица с ведром,
Заливает кошкин дом.

Пусть малыш договаривает запомнившиеся ему слова.

Звук [И]. *Логопедическая зарядка*

Поиграйте с малышом в игры, которые подготовят его к произнесению звука [И].

УЛЫБКА

Широко улыбнитесь, показав ряд сомкнутых зубов, и попросите ребёнка улыбнуться вам в ответ. Скажите:

Улыбнись мне поскорей.
Тяни губки до ушей!

Можно помочь себе, растягивая указательными пальчиками уголки губ в разные стороны.

ПОКРАСИМ ГУБКИ

Попросите ребёнка пропеть звук [И] и одновременно обвести указательным пальцем красную фигуру, которая имеет такую же форму, как его ротик, когда он произносит этот звук. А теперь пусть малыш обведёт указательным пальчиком свои губы в момент произнесения этого звука.

ВЕСЁЛЫЙ И ГРУСТНЫЙ

Скажите малышу, что когда весело, люди всегда улыбаются, а когда грустно, улыбка исчезает с лица. Покажите малышу сначала весёлого Петрушку, а потом грустного. Затем сами выполните соответствующие движения губами несколько раз подряд (как при последовательном произнесении звуков [И] и [У]).

ПТИЧКА ПЕСЕНКУ ПОЁТ

Предложите ребёнку пропеть песенку вместе с маленькой птичкой. Скажите:

Птичка на веточку села,
Песенку птичка запела:
«И-и-и...»

ЗВУКОВАЯ ДОРОЖКА

Девочка Ира потеряла свою любимую игрушку — лошадку. Попросите ребёнка провести указательным пальчиком по дорожке от девочки Иры до лошадки и одновременно тянуть звук **[И]**. Скажите малышу: «Обрадовалась лошадка, что Ира её нашла, и радостно заржала: „И-ГО-ГО, И-ГО-ГО!"» Попросите ребёнка повторить песенку лошадки, а затем назвать девочку по имени.

КУРОЧКА С ЦЫПЛЯТАМИ

Маленькие цыплятки разбежались кто куда. Курочка-мама ищет их, беспокоится. Пусть малыш поможет курочке и покажет ей указательным пальчиком каждого цыплёнка. Цыплёнок запищит: «ПИ-И-И!», и мама-курица его услышит среди густой травы.

УЗНАЙ ПО ГОЛОСУ

Разучите с ребёнком звукоподражания: «ХИ-ХИ!» — смеётся клоун; «БИ-БИ!» — гудит машина. Произносите эти звукоподражания и показывайте соответствующие картинки. Затем по очереди произносите «ХИ-ХИ!» и «БИ-БИ!» и спрашивайте ребёнка, что он слышал — как смеялся клоун или как гудела машинка.

УЗНАЙ И НАЗОВИ

Вместе с ребёнком назовите предметы на картинках: ИВА, ИГЛЫ И НИТКИ, ИНДЮК. Звук [И] в словах произносите утрированно. Покажите малышу, какая из этих картинок находится слева, какая справа, а какая — посередине.

ИВА

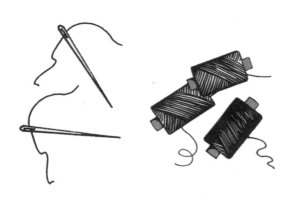

ИГЛЫ И НИТКИ

ИНДЮК

ШОФЁР

Поиграйте вместе с малышом в подвижную игру.
Скажите:

В машине, в машине
(стоя на месте, крутите перед собой воображаемый руль
или кольцо от большой пирамидки)
Шофёр сидит.
Машина, машина
(«ездите» по комнате, крутя в руках «руль»).
Идет, гудит: «Бии-би-и-и!»

ДВА ОСЛИКА

Большой ослик кричит громко: «ИА-ИА!», а маленький тихо
отвечает: «Иа-иа!» Пусть ребёнок показывает осликов на картинке
и произносит соответствующие по силе голоса звукоподражания.
А теперь попросите его отгадать, какой из осликов с ним сейчас
будет разговаривать — большой или маленький. Произносите
звукоподражания то громко, то тихо, а малыш пусть различает
осликов по голосам.

99

Звук [Э]. *Логопедическая зарядка*

Поиграйте с малышом в игры, которые подготовят его к произнесению звука [Э].

ЗАБОРЧИК

Покажите сомкнутые зубы: поднимите верхнюю губу вверх, а нижнюю опустите вниз. Попросите ребёнка выполнить те же движения. Скажите малышу:

Зубки Ванины (замените на имя вашего ребёнка) стоят.
Сверху ряд и снизу ряд.
Вот какой ровненький заборчик получился.

Если у ребёнка не получается выполнить артикуляционное упражнение, то пусть он поможет себе указательными пальчиками. Из положения «улыбка» надо слегка сдвинуть уголки губ навстречу друг другу.

ПОКРАСИМ ГУБКИ

Попросите ребёнка пропеть звук [Э] и одновременно обвести указательным пальцем большой красный овал, который имеет такую же форму, как его ротик, когда он произносит этот звук. А теперь пусть малыш обведёт указательным пальчиком свои губы в момент произнесения звука [Э].

ЗАБОРЧИК СЛОМАЛСЯ

Покажите малышу, как в положении «заборчик» слегка разомкнуть верхние и нижние зубы так, чтобы между ними появилась щёлочка. Скажите малышу:

Ой, заборчик мой сломался.
Кто там в щёлке показался?
Ой, да это же язычок!

СОБАЧКА СЕРДИТСЯ

По очереди то показывайте зубы («скальтесь»), то прячьте их, возвращая губы в нейтральное положение. Скажите малышу: «Когда собака сердится, она показывает зубы. А мы ей скажем:

Ты, собачка, не сердись —
Лучше с киской помирись.
Больше не сердится!»

ЗВУКОВАЯ ДОРОЖКА

Девочка Эля загрустила без своей любимой игрушки — плюшевого мишки. Попросите малыша помочь Эле найти мишку: провести указательным пальчиком по дорожке от девочки до игрушки и одновременно длительно петь песенку: «Э-э-э...». Скажите малышу:

«Обрадовался плюшевый мишутка, что Эля с ним будет играть, и сказал: „Э-э-э...“»

Попросите ребёнка пропеть песенку медвежонка, а затем назвать девочку по имени.

ОВЕЧКИ НА ЛУГУ

Скажите малышу:

«На лугу среди густой травы заблудились овечки. Слышишь, как одна из них жалобно блеет:

Говорит овечка: „Бе-е-е!

Пастушок, иди ко мне-е-е...“»

Попросите ребёнка показать пастушку каждую из его овечек и пропеть при этом песенку: «Бе-е-е! Бе-е-е!»

101

УЗНАЙ ПО ГОЛОСУ

Произнесите сначала: «МЕ-Е-Е!» — так блеет козочка. А потом: «БЕ-Е-Е!» — так блеет барашек. Одновременно показывайте малышу соответствующие картинки. Затем по очереди произносите «БЕ-Е-Е!» и «МЕ-Е-Е!» и спрашивайте ребёнка, кто подаёт голос: барашек-кудряшек или коза-дереза.

УЗНАЙ И НАЗОВИ

Вместе с ребёнком назовите предметы на картинках: ЭХО, ЭМУ, ЭСКИМО. Звук [Э] в словах произносите утрированно. Покажите малышу, какая из этих картинок находится слева, какая справа, а какая — посередине.

ЭХО   ЭМУ   ЭСКИМО

ЭДИК, ЭДИК, ПОПЛЯШИ!

Этого мальчика зовут Эдик. Вот он пляшет: «ЭХ! ЭХ!» Споткнулся Эдик и упал. Ушибся: «ОХ, ОХ!» Но плакать Эдик не стал. Снова встал на ноги и продолжил пляску: «ЭХ! ЭХ!»

Попросите малыша назвать мальчика по имени, а потом показать на картинках и рассказать, как мальчик плясал. Где надо сказать: «ЭХ! ЭХ!», а где: «ОХ, ОХ!»? Затем сами произносите по очереди эти междометия и спрашивайте ребёнка, что делает Эдик — пляшет или упал.

ТРИ МЕДВЕДЯ

Большой медведь-папа рычит низким голосом: «Э-Э-Э...», мама-медведица — поменьше, и голос у неё не такой грозный, она говорит: «Э-э-э...» А медвежонок им отвечает высоким голоском: «Э-э-э...»

Пусть малыш покажет на картинках медведя, медведицу и медвежонка и произнесёт, кто из них как говорит. Затем сами произносите звукоподражания разной высоты и спрашивайте ребёнка, кого он сейчас слышал: медведя, маму-медведицу или маленького медвежонка.

ДРУЖНЫЕ ПАЛЬЧИКИ

Разучите с малышом потешку. Слова произносите не спеша, одновременно выполняя движения.

Этот пальчик — дедушка (загните большой палец),
Этот пальчик — бабушка (загните указательный палец),
Этот пальчик — папочка (загните средний палец),
Этот пальчик — мамочка (загните безымянный палец),
Этот пальчик — я (загните мизинец).

Вместе дружная семья (разожмите кулачок и покажите ладошку).

Попросите ребёнка показать на картинке всех членов дружной семьи, говоря: «Это — папа, это — мама» и т. д.

Звук [Ы]. *Логопедическая зарядка*

Поиграйте с малышом в игры, которые подготовят его к произнесению звука **[Ы]**.

ТИГР

Покажите ребёнку, как сердитый тигр показывает свои клыки. Предложите малышу самому изобразить сердитого тигра. Для этого надо отвести нижнюю губу вниз, показав нижние зубы-резцы. Попросите ребёнка не только «оскалиться», но и выставить «когти»: поднимите кисти рук и напряжённо согните пальцы. Скажите:

Злого тигра всякий знает.
Тигр всех вокруг пугает.
Ой, боюсь, боюсь...

ПОКРАСИМ ГУБКИ

Попросите малыша пропеть звук **[Ы]** и одновременно обвести указательным пальцем большой красный полуовал, который имеет такую же форму, как его ротик, когда он произносит этот звук. А теперь пусть малыш обведёт указательным пальчиком свои губы в момент произнесения звука **[Ы]**.

ВОЛК

А теперь предложите малышу изобразить серого волка. Волк рычит: «Ы-Ы-Ы....» Покажите, как надо тянуть звук **[Ы]**, оскалив зубы. Важно при этом «рассердиться» — нахмурить брови и крепко сжать кулаки.

ДОБРЫЙ И ЗЛОЙ

Попросите ребёнка показать на картинках волка и зайчика. Спросите, кто из них добрый, а кто злой. Кто рычит: «Ы-Ы-Ы...», а кто пищит: «И-И-И...»? Пусть малыш сам изобразит каждого из этих животных.

ЗВУКОВАЯ ДОРОЖКА

Мышка проголодалась. Попросите малыша показать ей, где находятся продукты: провести указательным пальчиком по дорожке и одновременно тянуть звук **[Ы]**. Пусть малыш покажет мышке сыр. Попросите ребёнка сказать, кому он показал дорогу. Какую еду больше всего любит мышка?

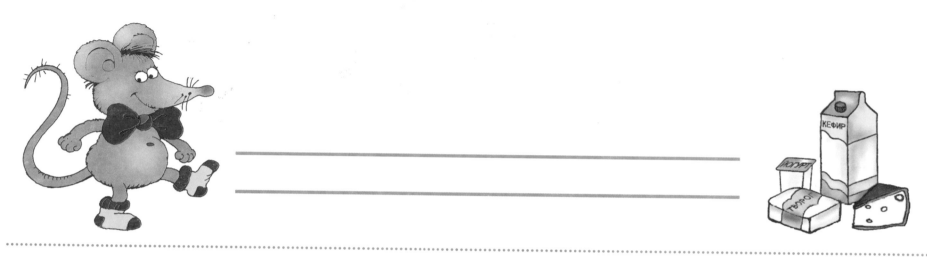

ПАРОХОД ГУДИТ

Попросите малыша погудеть, как большой пароход, который подплывает к пристани: «Ы-Ы-Ы....» А потом — как маленький пароходик: «Ы-ы-ы....» Затем сами произносите этот звук то громко, то тихо и спрашивайте у малыша, какой именно пароход сейчас будет причаливать к берегу. Поменяйтесь с ребёнком ролями.

«ТЫ» И «МЫ»

Мальчик показывает на девочку и говорит: «Ты — Аня». Девочка говорит: «Ты — Ваня». Ваня показывает на Аню и говорит: «Ты — девочка».
Аня говорит: «Ты — мальчик». Затем обведите указательным пальцем весь рисунок и скажите ребёнку, что сами про себя дети говорят: «Мы друзья!»
Попросите малыша показать и назвать детей; повторить их реплики, употребляя местоимения «ты» и «мы».

УЗНАЙ И НАЗОВИ

Вместе с ребёнком назовите предметы на картинках: ГРИБЫ, ЦВЕТЫ, ТЫКВА.
Звук [Ы] в словах произносите утрированно. Покажите малышу, какая из этих картинок находится слева, какая справа, а какая — посередине.

ГРИБЫ   ЦВЕТЫ   ТЫКВА

УМЫВАЛОЧКА

Прочитайте ребёнку стихотворение, сопровождая чтение соответствующими движениями:

Мила мыла руки с мылом
(потрите одну ладонь другою).
Мыла тёплою водой
(подставьте ладони под воображаемую струю воды).
Мыла, мыла, мыла, мыла
(потрите одну ладонь другою).
Бело-набело отмыла
(протяните ладони вперёд, показывая, какие они чистые).

Попросите ребёнка показать на картинке **Ми**лу, а потом **мы**ло.

ПОХОЖИЕ СЛОВА

Попросите ребёнка показать на картинке сначала большого мишку, а потом маленькую мышку. Уточните, кто из животных большой, а кто маленький. Пусть малыш сам назовет их.
Затем произносите слова «мышка» и «мишка» по очереди, а ребёнка просите показывать соответствующие картинки.

ЧЬИ СЛЕДЫ?

Прочитайте ребёнку стишок и одновременно показывайте ему животных. При повторном чтении пусть малыш сам добавляет слова в конце строчки.

Это слон, а вот… (сло**ны**).
Это лев, а это … (**львы**).
Это кот, а вот … (ко**ты**).
Отгадай-ка, чьи следы?

Звук [М]. *Логопедическая зарядка*

Поиграйте с малышом в игры, которые подготовят его к произнесению звука **[М]**.

ПОСИДИМ В ТИШИНЕ

Предложите ребёнку посидеть в тишине. Плотно сомкните губы и приложите к ним палец. Посидите в тишине, прислушиваясь к звукам, доносящимся с улицы. Обсудите с малышом, что вы слышали. (Это могут быть звуки, издаваемые автомобилями, трамваями, лай собаки, голоса людей, пение птиц и т. п.)

ШАРИК

Покажите малышу, как можно надуть щёки и удерживать их в таком положении 3–5 секунд. Если у ребёнка не получается надуть щёки, можно предложить ему просто подуть, сжав в этот момент губы малыша пальцами. В результате, воздух изнутри надует щёки.

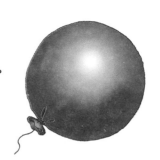

Шар воздушный надуваю.
Воздух я не выпускаю.
Ой, какой большой шарик получился!

ЗАМОЧЕК

Предложите ребёнку «повесить» на рот «замочек». Скажите малышу:

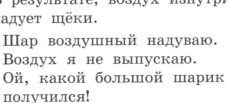

На дверях висит замо́к
Чтоб никто пройти не мог.
А на ротике замо́к,
Чтоб разговаривать не мог.

Большим и указательным пальцами обеих рук захватите верхнюю и нижнюю губы и сожмите их. Затем «снимите замочек». Так повторите несколько раз.

ОБЕЗЬЯНКА

Покажите, как обезьянка строит рожицы. Вот она спрятала губы: подогните губы и втяните их внутрь. Удерживайте губы в таком положении несколько секунд. Можно слегка прикусить их зубами. Пусть малыш так же спрячет свои губки, а вы скажите:

Обезьянка Чи-чи-чи
Прячет губки и молчит.
И Ваня (замените на имя вашего ребёнка) так умеет!

ЗВУКОВАЯ ДОРОЖКА

Спросите ребёнка, как мычит корова. Расскажите, что телёнок — это сын коровы. Он еще не умеет мычать и только учится «разговаривать», но вместо «Му!» у него пока получается только «М-м-м...» Предложите малышу сначала помычать, как корова. А потом — как маленький телёнок. Покажите, как нужно тянуть звук **[М]**: сомкнуть губы и удерживать их в нейтральном положении. Язык при произнесении звука **[М]** свободно лежит во рту. Воздушная струя выходит через нос. Попросите малыша помочь телёнку найти свою маму-корову. Для этого надо провести указательным пальцем по дорожке от телёнка до коровы и одновременно тянуть звук **[М]**.

ЗВУКОВЫЕ КНОПОЧКИ

Скажите ребёнку, что сейчас вы с ним будете нажимать волшебные кнопочки на необычном компьютере. Кнопочки не простые, а звуковые. Покажите малышу, как на ведущей руке надо по очереди соединять все пальцы с большим (начните с указательного). Потом соедините большой и средний пальцы, затем большой и безымянный, и наконец большой и мизинец. Одновременно с этим произносите слоги: **[МА]**, **[МО]**, **[МУ]**, **[МЫ]**.

Когда задание будет выполнено, спросите ребёнка, что он видит на экране компьютера. Пусть малыш покажет части машины: кабину, колёса и фары.

УЗНАЙ ПО ГОЛОСУ

Повторите с ребёнком знакомые ему звукоподражания: «МУ!» — мычит корова; «МЕ!» — блеет коза. Попросите малыша произносить эти звукоподражания и показывать животных на картинках. Затем предложите ему узнать по голосу каждое из животных. Произносите «МУ!» или «МЕ!» и спрашивайте малыша, чей голос он слышал.

ЗАВОДНАЯ КУКЛА

Воображаемым «ключиком» (указательным пальцем) заводите «куклу», роль которой исполнит ребёнок. Пусть он, как кукла, двигает руками и говорит: «МА-МА, МА-МА».

УЗНАЙ И НАЗОВИ

Вместе с ребёнком назовите предметы на картинках: МАК, МОЛОТОК, МЯЧ. Спросите у малыша, какая из этих картинок находится слева, какая справа, а какая — посередине.

МАК

МОЛОТОК

МЯЧ

ЧИСТОГОВОРКИ

Попросите ребёнка повторить чистоговорки. Спросите ребёнка, кто из детей что говорит и умеет ли он сам одеваться и раздеваться.

МА-МА-МА — одевалась я сама.
АМ-АМ-АМ — я оделся сам.
ОМ-ОМ-ОМ — мы гулять идём.

ЗАГАДКИ

Предложите ребёнку отгадать загадки. Пусть малыш постарается их запомнить, а потом загадает своим друзьям или другим членам семьи.

Кто мычит там на лугу: «Му-у-у...
Молока налить кому-у-у?»
Говорит он маме: «Ме-е-е —
Дайте свежей травке мне-е-е».

СКОРОГОВОРКА

Повторите вместе скороговорку:

Был сынок у маменьки —
Медвежонок маленький.

Спросите малыша, как он думает, что медвежонок несёт в бочонке? Кто летит за медвежонком? Сколько пчёл — много или мало?

 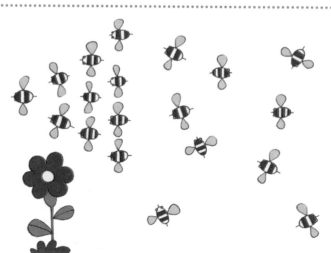

Звук [Н]. *Логопедическая зарядка*

Поиграйте с малышом в игры, которые подготовят его к произнесению звука **[Н]**.

ПРОЧНЫЙ ЗАБОРЧИК

Скажите:

Зубки белые стоят. И кусают всё подряд
(сделайте несколько кусательных движений).
А прочный ли у нас заборчик?
Не упадут ли зубки?

Давай проверим.
Покажите ребёнку, как изнутри кончиком языка
можно потолкать верхние зубы и скажите:

Зубки крепко стоят, не падают!
Прочный у нас заборчик из зубов.

ДЫШИТЕ!

Расскажите малышу, что дышать
можно по-разному. Можно вдыхать
и выдыхать воздух носом, а
можно — ртом. Ртом дышат,
когда, например, насморк.
В это время нос перестаёт дышать,
и ротик ему помогает. Попросите
ребёнка зажать нос пальцами и
попробовать дышать ртом.
А затем, наоборот, пусть он
«повесит замочек» на губы и
подышит носом.

ПОКРАСИМ ЗАБОРЧИК

Предложите ребёнку «покрасить» свой заборчик.
Для этого надо сложить ладони чашей — это
будет «ведро с краской». Затем опустить туда
«кисточку» — кончик языка. Затем язык надо
убрать за верхние зубы и пошевелить им из
стороны в сторону —
«покрасить». Спросите
малыша, какого цвета
краска у мальчика
Никиты на этой
картинке.

СТИРАЛЬНАЯ МАШИНА

Покажите ребёнку, как надо
длительно произносить звук **[Н]**.
Губы при этом чуть разомкнуты,
воздух выходит через нос, язык
упирается в основание верхних
зубов. Скажите малышу, что так
гудит стиральная машина, когда
работает. Спросите его, для чего
она нужна.
Предложите малышу помочь
мальчику Никите выстирать
после работы одежду: надо
включить стиральную машину
и длительно произносить
звук **[Н]**.

ЗВУКОВАЯ ДОРОЖКА

Скажите ребёнку, что девочка Надя смотрела телевизор, но теперь пора спать и надо его выключить. Попросите малыша провести указательным пальцем по дорожке от девочки Нади до телевизора и одновременно длительно тянуть звук **[Н]**.

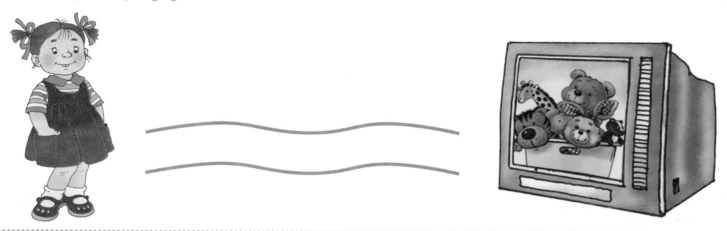

ВОТ МОЯ ЛОШАДКА

Скажите: «НО-НО!» — так погоняют лошадку. Произносите звукоподражание «НО-НО!» сначала тихо, а потом всё громче и изображайте, что держите в руках вожжи и погоняете ими свою лошадь. Затем «покормите лошадку»: протягивайте руки вперёд и произносите слова: **«НА, НА!»**, как будто кормите её.

ОТГАДАЙ, ЧТО ДЕЛАЮ

По очереди произносите «НО-НО!» или «НА, НА!» и спрашивайте ребёнка, что он слышал — как едут на лошадке или как её кормят. Пусть ребёнок жестами покажет соответствующее действие. Затем поменяйтесь с малышом ролями: малыш произносит звукоподражания, а вы отгадываете, что они значат.

УПРЯМЫЙ ОСЛИК

Скажите ребёнку, что не только лошади, но и ослики тоже могут возить людей. Но они часто бывают упрямыми и непослушными. Такому упрямому ослу говорят: «НУ, НУ!», и замахиваются на него прутиком, а он стоит на одном месте. Произносите звукоподражания «НО!», «НУ!», «НА!» и просите малыша показать соответствующие движения.

ЗВУКОВЫЕ КНОПОЧКИ

Нажимайте звуковые кнопочки на волшебном компьютере: по очереди соединяйте с большим пальцем все остальные пальцы ведущей руки — начиная с указательного и заканчивая мизинцем. Одновременно с этим произносите слоги: **[НА]**, **[НО]**, **[НУ]**, **[НЫ]**.

Когда задание будет выполнено, спросите ребёнка, что он видит на экране компьютера. Попросите малыша ответить, кто прячется в норке, а кто стоит около неё?

ЧИСТОГОВОРКИ

Попросите ребёнка вслед за вами повторить чистоговорки. Когда будете читать их во второй раз, то не договаривайте последнее слово, пусть малыш вспомнит его сам.

НУ-НУ-НУ — подойди ... (к окну).
НО-НО-НО — за окном ... (темно).
НА-НА-НА — там видна ... (луна).

Спросите у ребёнка, день или ночь нарисованы на картинке.

УЗНАЙ И НАЗОВИ

Вместе с ребёнком назовите предметы на картинках: **НОЖ, НОСКИ, НЕВАЛЯШКА.**
Спросите у малыша, какая из этих картинок находится слева, какая справа, а какая — посередине.
Спросите у малыша, для чего нужен каждый из этих предметов.

НОЖ

НОСКИ

НЕВАЛЯШКА

НЕЛЬЗЯ!

Скажите ребёнку, что когда нельзя что-то делать, то грозят пальцем (покажите этот жест) и говорят: «Ни-ни, нельзя!» Предложите малышу рассмотреть картинки и ответить на вопрос: чем Наташа и Николка недовольны? Что они говорят своему коту?

СКОРОГОВОРКА

Повторите вместе с ребёнком скороговорку:

Няня Нина, Нина няня.

Пусть малыш покажет, где тут Нина, а где Зина.

Звук [П]. *Логопедическая зарядка*

Поиграйте с малышом в игры, которые подготовят его к произнесению звуков **[П]** и **[Б]**.

МОЛЧАНКА

Объясните малышу, что это такая игра, когда надо всё делать молча. Ротик не должен открываться, язычок не должен говорить. Покажите малышу, как надо плотно сжать губки. Сначала продемонстрируйте, как можно изображать разные действия. Например, понарошку умываться, одеваться, чистить зубы, поливать цветы или же играть в разные игры: с воображаемым мячом, воздушными шариками, барабаном, гармошкой... Пусть ребёнок отгадает, какое действие вы изображаете. Затем проверьте, крепко ли малыш сжал губки, и предложите ему самому выполнить знакомые движения. А сами попробуйте отгадать, что именно изобразил ребёнок.

РЫБКА

Скажите малышу, что рыбки разговаривать не умеют:

Рыбка ротик открывает,
Что сказать, она не знает!

Покажите движения: то широко открывайте, то резко закрывайте рот, плотно смыкая губы.
В результате будет слышен хлопок воздуха. Постепенно наращивайте темп выполнения упражнения. Предложите малышу самому изобразить рыбку, пускающую пузыри. Скажите:

Рыбка ротик открывает —
Пузыри она пускает.

ШАРИК ЛОПНУЛ

Покажите ребёнку, как можно надуть щёки, изображая воздушный шарик. Затем слегка ударьте по щекам кулачками, чтобы «шарик» лопнул. Скажите малышу:

Шарик лопнул — ой, ой, ой!
А ведь был такой большой!

Предложите ребёнку повторить упражнение.

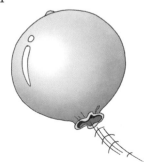

ПОЦЕЛУЙ МАМУ

Покажите ребёнку, как можно слегка втянуть щёки внутрь, всосав в себя воздух, а затем чмокнуть губами. Потом научите малыша посылать воздушный поцелуй. Следите за тем, чтобы ребёнок чмокал губами именно в тот момент, когда подносит свою ладошку к губам, а не раньше и не позже. Скажите малышу:

Губки хоботком сложу я,
Потом маму (папу, бабу, деда) поцелую.

116

ХЛОПУШКИ — ГРОМКИЕ ИГРУШКИ

Мальчику Паше подарили хлопушку. Паша потянул за верёвочку — хлопушка громко хлопнула.

Изобразите хлопушку, громко и кратко произнеся звук **[П]**. Попросите малыша самого сделать это. Обратите внимание на то, что губы при произнесении звука **[П]** сначала плотно сомкнуты, а потом через них наружу с силой вырывается воздух (как из хлопушки). Предложите ребёнку поднести ладонь ко рту и еще раз громко произнести звук **[П]**. При этом будет ощущаться «удар» воздушной струи.

Скажите:

«Паше очень понравилась игрушка, и он попросил маму купить ему ещё хлопушек».

Пусть малыш покажет, как будут хлопать и эти хлопушки. Для этого надо прикасаться указательным пальчиком к каждой хлопушке и произносить звук **[П]**.

КОШКИ-МЫШКИ

«ПИ-ПИ!» — так пищит мышка. Произносите звукоподражание то громко (так пищит мышка-мама), то тихо (так пищит маленький мышонок). Предложите малышу узнать, кто сейчас будет подавать голос: мышонок или его мама: произносите «Пи-пи!» то громко, то тихо. Затем поменяйтесь ролями — пусть ребёнок пищит, а вы отгадывайте. Предложите малышу поиграть в «Кошки-мышки». Пусть он будет мышкой — произнося «Пи-пи-пи!», убегает от вас, а вы пытайтесь его поймать.

ЗВУКОВЫЕ КНОПОЧКИ

Нажимайте звуковые кнопочки на волшебном компьютере. По очереди соединяйте с большим пальцем все остальные — начиная с указательного и заканчивая мизинцем. Одновременно с этим произносите слоги: **[ПА]**, **[ПО]**, **[ПУ]**, **[ПЫ]**. Когда задание будет выполнено, спросите ребёнка, что он видит на экране компьютера. Спросите ребёнка, что за птица нарисована на экране. Пусть малыш покажет у петушка клюв, крылья, хвост и гребешок.

ЧИСТОГОВОРКИ

Попросите ребёнка вслед за вами повторить чистоговорки. Когда будете читать чистоговорки во второй раз, то не договаривайте в них последнее слово, пусть малыш вспомнит его сам.

ПУ-ПУ-ПУ — взял я белую ... (крупу).

ПА-ПА-ПА — это манная ... (крупа).

ПЫ-ПЫ-ПЫ — варю кашу из ... (крупы).

Предложите ребёнку изобразить, как готовая каша пыхтит на плите: «ПЫХ-ПЫХ-ПЫХ».

Скажите малышу, что сначала каша пыхтела не спеша, а потом все быстрее и быстрее.

В соответствии с этим учите ребёнка менять скорость произнесения звукоподражаний.

УЗНАЙ И НАЗОВИ

Вместе с ребёнком назовите все предметы на картинках: ПАУК, ПОДУШКА, ПОПУГАЙ.
Спросите у малыша, какая из этих картинок находится слева, какая справа, а какая — посередине.

ПАУК   **ПОДУШКА**   **ПОПУГАЙ**

ПИРОЖОК

Разучите с ребёнком стихотворение. Произносите слова и сопровождайте их соответствующими движениями:

Пирожок, пирожок
(перекладываете из руки в руку воображаемое тесто)
Испечём мы сами.
Пирожок, пирожок
(протяните ладони вперёд, предлагая воображаемый пирожок)
Мы подарим маме!

СКОРОГОВОРКА

Повторите вместе с ребёнком скороговорку:
    Петя Полю угощал,
    Поле Петя пряник дал.
Попросите ребёнка показать на картинке, где Петя, а где Поля.

119

Звук [Б]. *Логопедическая зарядка*

Поиграйте с малышом в игры, которые подготовят его к произнесению звука [Б].

ПОИГРАЕМ НА ГУБАХ

Покажите ребёнку, как, слегка ударяя указательным пальцем по губам, можно произносить звук [Б]. Скажите:

Ну-ка, Ваня (замените на имя вашего ребёнка), поиграй-ка, Как вот эта балалайка.

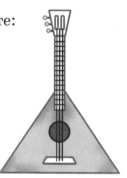

ОТГАДАЙ!

Произносите звуки: «Б, б, б...» или «П, п, п...» и спрашивайте ребёнка, что он слышал — как отбивают дробь на маленьком барабанчике или как хлопают на празднике хлопушки.

БАРАБАНЩИК

Скажите: «Мальчик Боря научился играть на барабане. И теперь он весь день барабанит. Звук получается громкий, вот такой: „Б, Б, Б“». Громко и кратко произнести звук [Б] (положение губ и языка такое же, как при произнесении звука [П], но при этом подключается голос). «Боря умеет барабанить медленно и быстро». Покажите малышу, как можно произносить звуки [Б] в медленном темпе, а потом в быстром. Теперь пусть ребёнок голосом воспроизведет медленные удары палочек по барабану, а потом — быструю барабанную дробь.

ДВА БАРАБАНА

Спросите ребёнка, как он думает, какой из этих двух барабанов звучит громче: большой или маленький. Разучите с малышом пальчиковые игры.

МАЛЕНЬКИЙ БАРАБАНЧИК

Попеременно стучите по столу указательными пальцами, как палочками по маленькому барабанчику, и произносите звук: «Б, б, б...»

БОЛЬШОЙ БАРАБАН

Стучите по столу не пальцами, а кулаками и произносите: «БУМ, БУМ, БУМ...»

УЗНАЙ ПО ГОЛОСУ

«БИ-БИ!» — гудит машина; «БО-БО!» — мальчик упал и жалуется, что ему больно. Произносите эти звукоподражания и показывайте соответствующие картинки. Затем скажите «БО-БО!» или «БИ-БИ!» и спросите ребёнка, что он слышал: как гудит машинка или как жалуется мальчик. Аналогичную игру проведите со звукоподражаниями: «ПИ-ПИ!» — так пищит мышка; «БИ-БИ!» — гудит машинка.

ЗВУКОВЫЕ КНОПОЧКИ

Нажимайте звуковые кнопочки на волшебном компьютере. По очереди соединяйте с большим пальцем все остальные пальцы. Одновременно с этим произносите слоги: **[БА]**, **[БО]**, **[БУ]**, **[БЫ]**. Когда задание будет выполнено, спросите ребёнка, что он видит на экране компьютера. Пусть малыш покажет, где у бабочки головка, усики, брюшко и крылья.

ЧИСТОГОВОРКИ

Попросите ребёнка вслед за вами повторить чистоговорки.
Когда будете читать во второй раз, то не договаривайте последнее слово, пусть малыш вспомнит его сам.

БУ-БУ-БУ — дали Бобочке ... (трубу).
БА-БА-БА — ему нравится ... (труба).
БЕ-БЕ-БЕ — он играет на ... (трубе).
БУ-БУ-БУ — громко дует он ... (в трубу).

УЗНАЙ И НАЗОВИ

Вместе с ребёнком назовите все предметы на картинках: БАНАН, БАНТИК, БЕЛКА.
Спросите у малыша, какая из этих картинок находится слева, какая справа, а какая — посередине.

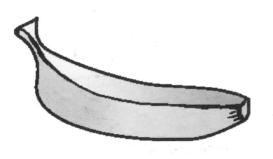

БАНАН   БАНТИК   БЕЛКА

ЧАЙНИК КИПИТ

Когда чайник закипает, вода в нём начинает булькать: «БУЛЬ-БУЛЬ-БУЛЬ...» Сначала вода булькает не спеша, а потом всё быстрее и быстрее. Предложите малышу самому изобразить кипящий чайник: пусть поставит одну руку на пояс — она будет изображать ручку чайника, а другую руку поднимет под углом вверх — это «носик» чайника. «БУЛЬ-БУЛЬ-БУЛЬ...» нужно произносить не спеша, постепенно ускоряя темп.

КОЛЫБЕЛЬНАЯ

Спойте вместе с ребёнком колыбельную песенку:

Баю-бай, баю-бай,
Ты, собачка, не лай.
Белолапа, не скули,
Нашу Лялю не буди.

КТО ЧЕМ ЗАНЯТ?

Попросите ребёнка показать, где тут папа, а где баба. Спросите малыша о том, что делает каждый из них.

СКОРОГОВОРКА

Повторите вместе с ребёнком скороговорку:

Бык забыл, как телёнком был.

Звук [Ф]. *Логопедическая зарядка*

Поиграйте с малышом в игры, которые подготовят его к произнесению звуков **[Ф]** и **[В]**.

ЗАЙКА

Покажите ребёнку, как можно поднимать верхнюю губу, показывая верхние зубы — резцы. Удерживайте губу в таком положении в течение нескольких секунд. Затем опустите. Предложите малышу повторить упражнение. Скажите:

Показал зайчишка зубки.
Он приподнял кверху губку.
Угости его морковкой —
Он управится с ней ловко.

Пусть ребёнок изобразит морковку: поднесёт ко рту два кулачка, поставленных один на другой. Затем попросите малыша поднять верхнюю губу так, как это делает зайчик. Можно пощёлкать зубками, изображая, как заяц грызёт свою любимую морковку.

ЛОВИШКИ

Покажите ребёнку, как верхние зубы играют с нижней губой в «Ловишки»: нужно несколько раз подряд «ловить» верхними зубами нижнюю губу и при этом кратко произносить звук **[Ф]**. Скажите:

Ну-ка, зубки, поиграйте,
Быстро губку догоняйте.

ПРЯТКИ

Покажите малышу, как верхними зубами можно прикусить нижнюю губу так, чтобы её не было видно. Повторите упражнение несколько раз подряд. Скажите ребёнку:

В прятки с губками играю —
То найду, то потеряю.

ЩЁТКА

Скажите:

Зубки, словно щётка,
Гладят губку ловко.

Слегка прикусите нижнюю губу и несколько раз поскоблите её верхними зубами.

ЗВУКОВАЯ ДОРОЖКА

Попросите ребёнка провести указательным пальцем по дорожке от ёжика до яблока и одновременно тянуть звук **[Ф]**. Для этого верхнюю губу следует приподнять, верхними зубами прикоснуться к нижней губе и подуть. Получится звук, похожий на фырканье ежа.

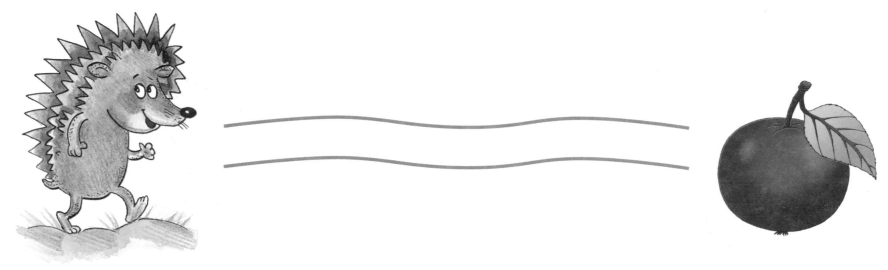

ДВА ЕЖА

Покажите на картинке на одного ёжика и произнесите один короткий, а затем один длинный звук **[Ф]**. Пусть малыш воспроизведёт эти звуки в той же последовательности и с той же длительностью. После этого покажите на другого ежа и произнесите на этот раз один длинный, а затем один короткий звук **[Ф]**. Пусть малыш повторит то, что услышал. Можно продолжить диалог ежей, предложив ребёнку для повторения другие «фразы», состоящие уже из двух коротких и одного длинного звука **[Ф]** в разной последовательности. Пусть малыш учится не только произносить звуки, но и воспроизводить разные ритмические рисунки.

ЗВУКОВЫЕ КНОПОЧКИ

Нажимайте звуковые кнопочки на волшебном компьютере. По очереди соединяйте с большим пальцем все остальные пальцы. Одновременно с этим произносите слоги: **[ФА], [ФО], [ФУ], [ФЫ]**. Когда задание будет выполнено, спросите ребёнка, что он видит на экране компьютера. Скажите малышу, что этот цветок называется фиалка.

СКОРОГОВОРКА

Повторите вместе с ребёнком скороговорку:

Филя фокус показал.
Филя фокусником стал.

ЧИСТОГОВОРКИ

Попросите ребёнка вслед за вами повторить чистоговорки. Когда будете читать чистоговорки во второй раз, то не договаривайте в них последнее слово, пусть малыш вспомнит его сам.

ФА-ФА-ФА — стоит в комнате ... (софа).
ФУ-ФУ-ФУ — я прилягу на ... (софу).
ФЕ-ФЕ-ФЕ — сладко спится на ... (софе).

УЗНАЙ И НАЗОВИ

Вместе с ребёнком назовите все предметы на картинках: **ФЕН, ФУТБОЛКА, ФИЛИН.**
Спросите у малыша, какая из этих картинок находится слева, какая справа, а какая — посередине.

ФЕН   ФУТБОЛКА   ФИЛИН

СОЧИНЯЕМ ВМЕСТЕ

Сочините вместе с ребёнком стишок: пусть малыш подскажет вам слово-рифму.

Скоро вечер, посмотри —
Загорелись ... (фонари).

А теперь вместе сосчитайте, сколько всего фонарей зажглось на улице: один фонарь, два фонаря...

НАЗОВИ ПО ИМЕНАМ

Спросите ребёнка, как он думает, где на рисунке Федя, где Феня, а где Котофей? Пусть малыш покажет всех на картинке и назовет их по именам.

127

Звук [В]. *Дыхательно-голосовые игры*

Поиграйте с малышом в игры, которые помогут ему развить дыхание, силу голоса и научиться правильно произносить звук [В].

ПОДУЙ НА КОРАБЛИК

Сделайте бумажный кораблик и поставьте его на стол, а ещё лучше в таз с водой. Предложите ребёнку подуть на кораблик, чтобы он отправился в плавание.

ДВА ВЕТРА

Сначала изобразите лёгкий ветерок: тихо произносите звук [В]. Затем покажите, как гудит сильный ветер: произносите звук [В] громко. И наконец, произнесите на одном выдохе звук [В], постепенно увеличивая силу голоса — «ветер усиливается».
Произносите соответствующие по силе голоса звукоподражания и просите ребёнка отгадать, какой ветер сейчас будет дуть — сильный или слабый.

МОТОРЧИК

Предложите малышу проверить, есть ли у него в горлышке «моторчик»: положите ладонь на шею под подбородком. При произнесении звука [В] в горлышке начинает работать «моторчик». Ладонь будет ощущать слабую вибрацию. Затем предложите ребёнку длительно произносить звук [Ф], а затем — звук [В], и узнать, в каком случае «моторчик» работает, а в каком нет. (При произнесении звонкого звука [В] будет чувствоваться вибрация, идущая от голосовых связок, — «в горлышке заработал моторчик». А при произнесении глухого звука [Ф] такой вибрации не будет — «моторчик не работает».)

ЗВУКОВАЯ ДОРОЖКА

Продемонстрируйте ребёнку, как можно длительно на одном выдохе тянуть звук [В], изображая ветерок. Звук [В] произносится так же, как звук [Ф]: верхние зубы-резцы прикасаются к нижней губе, но при этом подключается голос. Скажите:

Ветер дует, задувает и цветочки пригибает.
Стебельки сгибаются, низко наклоняются.

Предложите малышу провести указательным пальцем по дорожке от тучи до цветов и одновременно тянуть звук [В] — так дует ветер.

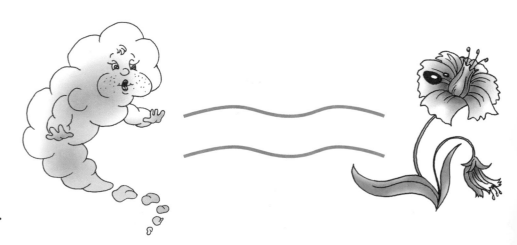

ЗВУКОВЫЕ КНОПОЧКИ

Нажимайте звуковые кнопочки на волшебном компьютере. По очереди соединяйте с большим пальцем все остальные пальцы. Одновременно с этим произносите слоги: **[ВА]**, **[ВО]**, **[ВУ]**, **[ВЫ]**. Когда задание будет выполнено, спросите ребёнка, что он видит на экране компьютера. Сколько здесь ягодок вишни, а сколько листочков?

ЧИСТОГОВОРКИ

Попросите ребёнка вслед за вами повторить чистоговорки. Когда будете читать их во второй раз, то не договаривайте последнее слово, пусть малыш вспомнит его сам.

ВУ-ВУ-ВУ — мы увидели ... (сову).

ВА-ВА-ВА — залетела к нам ... (сова).

ВУ-ВУ-ВУ — вы заметили ... (сову)?

КТО ГДЕ?

Предложите малышу показать на картинке, где здесь Аня, а где Ваня. Пусть ребёнок говорит: «Вот Ваня, вот Аня». Попросите его сказать что делают дети.

УЗНАЙ И НАЗОВИ

Вместе с ребёнком назовите все предметы на картинках: ВОЛК, ВОРОНА, ВЕРБЛЮД.
Спросите у малыша, какая из этих картинок находится слева, какая справа, а какая — посередине.

ВОЛК

ВОРОНА

ВЕРБЛЮД

ОТГАДАЙ!

Длительно произносите звуки **[Ф]** и **[В]** и спрашивайте ребёнка, что он слышал: как фыркал ёжик или как завывал ветер.

СРАВНИ КАРТИНКИ

Скажите ребёнку: «Ваня моется в ванной». Спросите малыша: «Как зовут этого мальчика? Где он находится? Что он делает?»
Предложите ребёнку рассмотреть две картинки и найти отличия между ними.

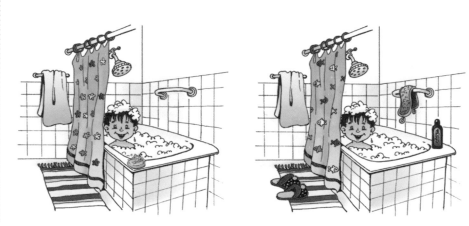

СОЧИНЯЕМ ВМЕСТЕ

Сочините вместе стишок: пусть малыш подскажет вам слово-рифму.

> Возле старой елки
> Бродят злые ... (волки).

А теперь посчитайте, сколько всего волков: один волк, два волка...

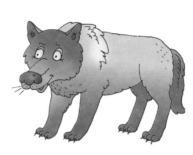

ТЕЛЕФОННЫЙ РАЗГОВОР

Возьмите в руку воображаемую «телефонную трубку» и скажите малышу, что вы сейчас будете говорить с ним на незнакомом языке. Пусть ребёнок повторяет вслед за вами близкие по звучанию пары слогов: «ВА–ВА», «ФА–ФА», «ФА–ВА», «ВА–ФА».

СКОРОГОВОРКА

Повторите вместе с ребёнком скороговорку:

> Ваня с Фаней, Фаня с Ваней.

Просите ребёнка показать, где на картинке мальчик Ваня, а где девочка Фаня.

Звук [Т]. *Логопедическая зарядка*

Поиграйте с малышом в игры, которые подготовят его к произнесению звуков **[Т]** и **[Д]**.

ЛОПАТКА

Покажите лопатку: улыбнитесь, откройте рот и положите широкий расслабленный язык на нижнюю губу. Предложите малышу сделать такую же широкую лопатку. Пока ребёнок удерживает язычок в такой позе, скажите:

Вот она, лопатка, —
Широка да гладка.

ЧАСИКИ

Чётко, громко и кратко произносите звук **[Т]**. Для этого прижимайте кончик языка к основанию верхних зубов (резцов), а затем резко его отрывайте. Несколько раз подряд с усилием произнесите звук: «Т, т, т...» — так тикают маленькие часики. Дайте ребёнку послушать, как тикают настоящие часы.

НЕПОСЛУШНЫЙ ЯЗЫЧОК

Улыбнитесь, а зубы неплотно сомкните и покажите малышу, как язык протискивается наружу между зубами. Скажите, что язычок очень любопытный: всё время хочет выглянуть изо рта наружу. Предложите ребёнку повторить это упражнение. Скажите: «Ай, ай, ай, язычок без спроса вышел из дома. Придется его наказать». Продемонстрируйте, как это сделать — высуньте изо рта язык и слегка покусывайте его передними зубами. При выполнении движений нужно произносить звуки: «ТА, ТА, ТА...»

БОЛЬШИЕ КАЧЕЛИ

А теперь язычок будет качаться на больших качелях: высуньте изо рта язык и не спеша совершайте им движения вверх-вниз. Скажите:

На качели сели —
Высоко взлетели.

Предложите ребёнку покачать на качелях свой язычок. При выполнении малышом упражнения произносите слова: «Вверх-вниз, вверх-вниз...», задавая темп движений.

КОЛЁСИКИ СТУЧАТ

Покажите ребёнку, как паровозик едет по рельсам и везёт за собой вагончики:

А вагончики спешат,
А вагоны говорят: «Т-т-т-т...»

Пусть малыш изобразит вместе с вами, как поезд отъезжает от станции. Сначала он едет медленно, а потом всё быстрее и быстрее. Темп произнесения звука **[Т]** при этом постепенно увеличивается. Вот разогнался поезд и радостно загудел:

Ту-ту-у, ту-ту-у,
Я иду, иду, иду...

СЛЕДЫ

Попросите ребёнка проводить мышонка к норке, где его ждёт мышка-мама. Пусть малыш «шагает» указательным пальчиком по следам и одновременно произносит звукоподражание: «ТОП, ТОП, ТОП...»

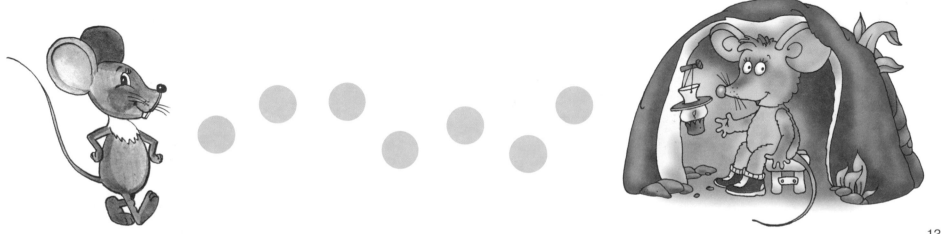

ЗВУКОВЫЕ КНОПОЧКИ

Нажимайте звуковые кнопочки на волшебном компьютере. По очереди соединяйте с большим пальцем все остальные пальцы. Одновременно с этим произносите слоги: **[ТА]**, **[ТО]**, **[ТУ]**, **[ТЫ]**. Когда задание будет выполнено, спросите ребёнка, что он видит на экране компьютера. Пусть малыш скажет, для чего нужен телефон.

ЧИСТОГОВОРКИ

Попросите ребёнка вслед за вами повторить чистоговорки. Когда будете читать их во второй раз, то не договаривайте последнее слово, пусть малыш вспомнит его сам.

ТА-ТА-ТА — принесли домой ... (кота).
ТУ-ТУ-ТУ — молочка налью ... (коту).
ОТ-ОТ-ОТ — молоко лакает ... (кот).

УЗНАЙ И НАЗОВИ

Вместе с ребёнком назовите все предметы на картинках: **ТАРЕЛКА**, **ТУФЛИ**, **ТОРТ**.

Спросите у малыша, какая из этих картинок находится слева, какая справа, а какая — посередине.

Спросите у малыша, для чего нужен каждый из этих предметов.

ТАРЕЛКА

ТУФЛИ

ТОРТ

ЧТО СТУЧИТ?

«ТУК-ТУК!» — стучат молотком, когда забивают гвозди. «ТЮК-ТЮК!» — рубят маленьким топориком. Сопровождайте звукоподражания движениями, напоминающими действия этими инструментами. Произносите «ТУК-ТУК» или «ТЮК-ТЮК» и спрашивайте ребёнка, что вы сейчас делали: рубили топором дерево или забивал молотком гвоздь.

ТИК-ТАК

Поиграйте в «Часики»:

Смотри скорей,
Который час,
Тик-так
(наклоните голову
к левому плечу),
Тик-так
(наклоните голову
к правому плечу),
Тик-так
(наклоните голову
к левому плечу)!
На лево — раз
(поставьте руки на пояс
и наклонитесь в левую сторону)!
На право — раз
(наклонитесь в правую сторону)!
Мы тоже можем так
(наклонитесь в левую сторону)!

СКОРОГОВОРКА

Повторите вместе с ребёнком скороговорку:

Толя с Олей, Оля с Толей.

Просите ребёнка показать, где на картинке мальчик Толя, а где девочка Оля.

Звук [Д]. *Дыхательно-голосовые игры*

Поиграйте с малышом в игры, которые помогут ему развить дыхание, силу голоса и научиться правильно произносить звук **[Д]**.

ШАРИК

Покажите ребёнку, как скатать небольшой шарик из кусочка бумажной салфетки. Положите шарик на ладонь и поднесите его ко рту. Подуйте на шарик так, чтобы он слетел с ладони. Теперь предложите малышу самому выполнить это упражнение.

ДЯТЕЛ

Покажите ребёнку, как можно громко и несколько раз подряд произносить звук «Д, д, д, д...» Звук **[Д]** произносится так же, как звука **[Т]**, но с подключением голоса. Скажите:

Дятел высоко сидит:
«Д, д, д — д, д, д».
Дятел дерево долбит:
«Д, д, д — д, д, д».

Посоревнуйтесь, кто из вас сможет дольше изображать дятла. Многократно произносите звук: «Д, д, д...» (Можно иногда поддаваться ребёнку.)

МОТОРЧИК

Предложите малышу проверить, заработает ли у него в горлышке моторчик, как у швейной машины: положите ладонь на шею под подбородком и многократно произносите звук: «Д, д, д...» Ладонь будет ощущать вибрацию — «моторчик работает».

Затем предложите ребёнку сначала сказать звук «Т, т, т...», а затем звук «Д, д, д...» и узнать, — нет. (При произнесении звонкого звука **[Д]** будет чувствоваться вибрация, идущая от голосовых связок. А при произнесении глухого звука **[Т]** такой вибрации не будет — «моторчик не работает».)

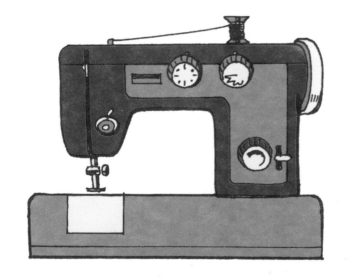

ЗВУКОВЫЕ КНОПОЧКИ

Нажимайте звуковые кнопочки на волшебном компьютере. По очереди соединяйте с большим пальцем все остальные пальцы. Одновременно с этим произносите слоги: **[ДА]**, **[ДО]**, **[ДУ]**, **[ДЫ]**. Когда задание будет выполнено, спросите ребёнка, что он видит на экране компьютера. Пусть малыш покажет части, из которых состоит дом (стены, окна, дверь, крышу, трубу).

ЧИСТОГОВОРКИ

Попросите ребёнка вслед за вами повторить чистоговорки. Когда будете читать их во второй раз, то не договаривайте последнее слово, пусть малыш вспомнит его сам.

ДУ-ДУ-ДУ — я купаться ... (иду).
ДА-ДА-ДА — в реке теплая ... (вода).
ДЕ-ДЕ-ДЕ — буду плавать я в ... (воде).

УЗНАЙ И НАЗОВИ

Вместе с ребёнком назовите все предметы на картинках: ДОМ, ДУБ, ДЫНЯ.
Спросите у малыша, какая из этих картинок находится слева, какая справа, а какая — посередине.

ДОМ

ДУБ

ДЫНЯ

БУБЕНЧИКИ

Разучите с ребёнком стихотворение:

Бубенчики висят,
Качаются, звенят,
Ты повтори их звон:
Динь-динь,
Дан-дан,
Дон-дон!

УЗНАЙ ПО ГОЛОСУ

«ДУ-ДУ!» — играет дудочка, «ТУ-ТУ!» — гудит поезд. Сопровождайте звукоподражания соответствующими движениями: «ДУ-ДУ-ДУ, ДУ-ДУ-ДУ!» — нажимайте пальцами «кнопочки» воображаемой дудочки, «ТУ-ТУ, ТУ-ТУ!» — вращайте перед собой руками, имитируя движение колёс поезда. Затем произносите по очереди «ТУ-ТУ!» или «ДУ-ДУ!» и спрашивайте ребёнка, что он слышал: как играет дудочка или гудит поезд. Пусть малыш не только ответит, но и продемонстрирует знакомые движения.

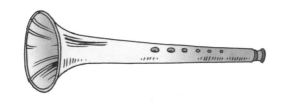

А теперь произносите по очереди звуки «Т, т, т...» или «Д, д, д...» и спрашивайте ребёнка, что он слышал: как тикали маленькие часики или дятел долбил ствол дерева.

ДОЖДИК

Предложите малышу изобразить, как дождь стучит по крыше, по зонтику, по карнизу... Капли падают с высоты и весело звенят: «Т-д-т-д-т...»

ТЕЛЕФОННЫЙ РАЗГОВОР

Возьмите в руку воображаемую «телефонную трубку». Скажите малышу, что вы сейчас будете говорить с ним на незнакомом языке. Пусть он повторяет вслед за вами близкие по звучанию пары слогов: «ТА–ТА», «ДА–ДА», «ТА–ДА», «ДА–ТА».

СКОРОГОВОРКА

Повторите вместе с ребёнком скороговорку:

Таня с Даней, Даня с Таней.

Просите ребёнка показать на картинке, где мальчик Даня, а где девочка Таня. Пусть малыш отгадает, кому принадлежит каждая из этих игрушек.

БУДЬ ВНИМАТЕЛЕН

Скажите ребёнку:

«Мальчик Том рисует дом.
Был жаркий день, мы сели в тень».

Затем попросите малыша слушать внимательно и, если нужно, исправить ошибки. Скажите:

«Мальчик дом рисует Том.

Мальчик Том рисует дом.
В жаркий день, ищем тень.
В жаркий тень, ищем день».

ПОХОЖИЕ СЛОВА

Попросите ребёнка показать на картинке, где нарисована тачка, а где — дачка. Затем одно за другим называйте слова «**тачка**» и «**дачка**», а малыш пусть показывает соответствующие предметы.
А теперь пусть ребёнок покажет у**т**очку и у**д**очку.

СОЧИНЯЕМ ВМЕСТЕ

Сочините вместе стишок: пусть малыш подскажет слово-рифму.

По дорожке зайчик едет
На своем ... (велосипеде).
Зайка ехал, ехал, ехал
И до домика ... (доехал).

Попросите ребёнка провести дорожку указательным пальчиком до домика, а затем до мячика:

Зайка ехал, ехал, ехал
И до мячика ... (доехал).

И наконец — провести дорожку до мишки:

Зайка ехал, ехал, ехал
И до мишки он доехал.

Спросите малыша: на чём ехал зайка; по чему он ехал; до чего он доехал; какая дорожка была самая длинная?

СКОРОГОВОРКА

Повторите вместе с ребёнком скороговорку:

Дядя Тихон ходит тихо.
Тихо ходит дядя Тихон.

ОТВЕТЬ НА ВОПРОСЫ

Скажите:

«Мальчик Тима с дядей Димой сажают дерево. Дерево называется "дуб". Но это деревце ещё маленькое, поэтому Тима и дядя Дима называют его "дубочек"».

Спросите ребёнка о том, что держит дядя Дима, что держит Тима, о том, что они делают.

Звук [K]. *Логопедическая зарядка*

Поиграйте с малышом в игры, которые подготовят его к произнесению звуков [K], [Г] и [X].

КОШЕЧКА ЛАКАЕТ

Кошка умеет лакать молоко из блюдца язычком. Предложите малышу полакать, как кошка, молоко из плошки: высовывайте изо рта и втягивайте обратно широкий, как лопатка, язык. Покажите, как можно сложить ладони чашечкой, изображая блюдце или плошку, и «лакать» из неё молочко.

ЧИСТИМ ЗУБКИ

Предложите ребёнку почистить нижние зубы, только не с помощью зубной щётки, а языком — так делают обезьянки после еды — ведь у них нет зубной щётки. Для этого надо открыть рот и широким кончиком языка погладить нижние зубы-резцы с внутренней стороны.

МАЛЕНЬКИЕ КАЧЕЛИ

«Покачайтесь» на маленьких качелях: откройте рот и двигайте языком вверх-вниз внутри ротовой полости. При этом широкий кончик языка прикасается поочерёдно то к внутренней стороне верхних зубов, то к внутренней стороне нижних зубов. Предложите ребёнку покачать на маленьких качелях свой язычок. При выполнении малышом упражнения произносите слова: «Вверх-вниз, вверх-вниз...», задавая темп движений.

ПРЯТКИ

Язычок умеет «играть в прятки» вот так: улыбнитесь, откройте рот и положите язык на нижнюю губу, а затем отодвиньте язык за нижние зубы — «язычок спрятался». Предложите малышу поиграть в прятки со своим язычком и совершить несколько таких движений.

ДОКТОР АЙБОЛИТ

Покажите ребёнку, как громко и кратко произнести звук **[К]**. Для этого надо втянуть язык как можно глубже в рот. Если у малыша не получается произнести звук **[К]**, то тогда поиграйте в доктора Айболита. Вы будете доктором, а ребёнок — пациентом. Скажите:

Пришёл доктор Айболит.
У вас горлышко болит?

Попросите малыша показать язык, а затем спрятать его как можно дальше в рот, и наконец дайте задание «больному» покашлять.

ТИР

«Постреляйте» указательным пальцем, как игрушечным пистолетом, и при этом с усилием произнесите звук **[К]**:

Пистолеты в цель стреляют.
Самый меткий — попадает.

Пусть малыш изобразит сам, как стреляют пистолеты, нарисованные на картинке: «К, к, к, к». И не просто стреляют, а стараются попасть в цель. Пусть малыш проведёт указательным пальцем прямую линию от пистолетов до мишени и определит, какой из пистолетов попадёт в самое яблочко.

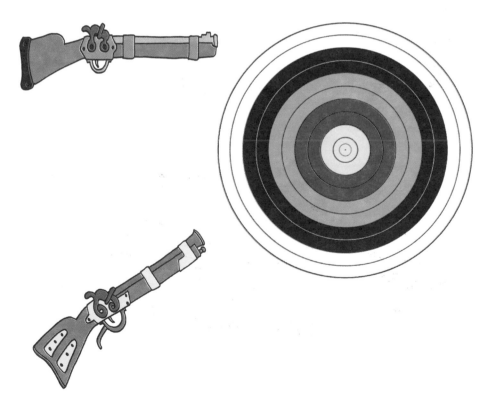

143

ЗВУКОВЫЕ КНОПОЧКИ

Нажимайте звуковые кнопочки на волшебном компьютере. По очереди соединяйте с большим пальцем все остальные пальцы. Одновременно с этим произносите слоги: **[КА]**, **[КО]**, **[КУ]**, **[КЫ]**. Когда задание будет выполнено, спросите ребёнка, что он видит на экране компьютера. Пусть малыш покажет части тела кита: голову, хвост и плавник.

ЧИСТОГОВОРКИ

Попросите ребёнка вслед за вами повторить чистоговорки. Когда будете читать их во второй раз, то не договаривайте последнее слово, пусть малыш вспомнит его сам.

КУ-КУ-КУ — булочки ... (пеку).
КИ-КИ-КИ — булки из ... (муки).
КА-КА-КА — белая ... (мука).

Спросите ребёнка, как он думает; какую булочку испёк мальчик Костя, а какую — котик Кузя?

УЗНАЙ И НАЗОВИ

Вместе с ребёнком назовите все предметы на картинках: **КНИГА**, **КАРАНДАШИ** и **КИСТОЧКА**, **КОНЬКИ**. Спросите у малыша, какая из этих картинок находится слева, какая справа, а какая — посередине. Спросите у малыша, для чего нужен каждый из этих предметов.

КНИГА   **КАРАНДАШИ** и **КИСТОЧКИ**   **КОНЬКИ**

ОТГАДАЙ И ПОКАЖИ

Попеременно ударяйте указательными пальцами по столу, имитируя падающие капли дождя и, произносите звукоподражания: «КАП, КАП, КАП, КЛП...»
Затем покажите малышу пальчиковую игру «Совочек»: ладонью, как совочком, «копайте» воображаемый песок, одновременно произнося звукоподражания: «КОП, КОП, КОП...»
Когда ребёнок запомнит слова и движения, предложите ему отгадать, что же сейчас будет происходить. Произносите «Кап-кап...» или «Коп-коп...» (но уже без демонстрации движений) и просите ребёнка назвать и показать с помощью пальчиковых игр, что он сейчас слышал: как капают капли дождя или как копают песок совочком.

УЗНАЙ ПО ГОЛОСУ

«КО-КО!» — так кудахчет курица, «КУ-КУ!» — так кукует в лесу кукушка. Произносите по очереди «Ко-ко!» и «Ку-ку!» и спрашивайте ребёнка, голос какой птицы он слышал: курицы или кукушки.

КУКУШКА

Разучите с ребёнком стихотворения:

Петушок, петушок,
Золотой гребешок,
Что ты рано встаешь,
Кате спать не даешь?
— Ку-ка-ре-ку!

У леса на опушке,
Высоко на суку
С утра поёт кукушка:
«Ку-ку, ку-ку, ку-ку».

ЛЯГУШАЧИЙ ХОР

Предложите ребёнку посчитать солистов в лягушачьем хоре, а затем повторить их песенки. Сначала произнесите одно, а затем подряд два звукоподражания: «КВА, КВА-КВА!» Пусть малыш «споёт» песню первой лягушки. После этого озвучьте вторую певицу: «КВА-КВА, КВА!» Пусть малыш повторит то, что услышал. И наконец, «пропойте» за третью лягушку: «КВА-КВА, КВА-КВА!» Учите ребёнка воспроизводить разные ритмические рисунки.

СОЧИНЯЕМ ВМЕСТЕ

Сочините вместе стишок: пусть малыш подскажет слово-рифму.

Воробей заметил крошки,
Но боится хитрой ... (кошки).

ОТВЕТЬ НА ВОПРОСЫ

Скажите:

«Мальчик Коля кормит собаку. Он сам сварил для неё кашу». Спросите ребёнка, как зовут этого мальчика, кого и чем он кормит, какая Коле понадобилась посуда (кастрюля, ложка, миска).

СКОРОГОВОРКИ

Повторите вместе с ребёнком скороговорки:

   Коля с Олей, Оля с Колей.

   Котик ниток клубок укатил в уголок.

Просите ребёнка показать — где на картинке мальчик Коля, а где девочка Оля. Спросите малыша, что делают дети.

ПЧЕЛКА

Попросите ребёнка рассмотреть пчёлку, а затем назвать и показать части её тела: крылышки, брюшко, головку, усики, лапки. Предложите малышу показать пчеле путь к каждому из цветков на лугу: провести указательным пальчиком от пчёлки к колокольчику, к одуванчику и к красному маку. Спрашивайте ребёнка, к какому цветку полетит сейчас пчела. Попросите показать, к какому цветку ведёт самый короткий путь.

Звук [Г]. *Дыхательно-голосовые игры*

Поиграйте с малышом в игры, которые помогут ему развить дыхание, силу голоса и научиться правильно произносить звуки **[К]**, **[Г]** и **[Х]**.

СНЕЖОК

Покажите ребёнку, как скатать небольшой ватный шарик, похожий на снежок. Положите шарик на ладонь и поднесите его ко рту. Подуйте на ватный шарик так, чтобы он слетел с ладони. Теперь предложите малышу самому выполнить это упражнение.

ГУСИ И ГУСЯТА

Продемонстрируйте ребёнку, как можно громко и несколько раз подряд произносить звук «Г, г...» Звук **[Г]** произносится так же, как звук **[К]**, но с подключением голоса. Скажите малышу, что так учатся говорить маленькие гусята. А взрослые гуси громко гогочут: «ГА-ГА-ГА!» Повторите вместе с ребёнком гусиный разговор:

> Г, г, г! Га-га-га!
> Это наши берега!

Спросите ребёнка, как гусям ответят лягушки. Кто из них говорит — «КВА, КВА, КВА!», кто — «ГА, ГА, ГА!», а кто — «Г, г, г!»?

МОТОРЧИК

Предложите малышу проверить, есть ли у него в горлышке моторчик, как у заводной игрушки: положите ладонь на шею под подбородком и произнесте несколько раз подряд: «Г, г, г...» Ладонь будет ощущать вибрацию — «работает моторчик».

Затем предложите ребёнку сначала сказать звук «К, к...», а затем — звук «Г, г, г...» (При произнесении звонкого звука **[Г]** будет чувствоваться вибрация, идущая от голосовых связок. А при произнесении глухого звука **[К]** такой вибрации не будет — «моторчик не работает».)

ЗВУКОВЫЕ КНОПОЧКИ

Нажимайте звуковые кнопочки на волшебном компьютере: по очереди соединяйте с большим пальцем все остальные пальцы. Одновременно с этим произносите слоги: [ГА], [ГО], [ГУ], [ГЫ].

Когда задание будет выполнено, спросите ребёнка, что он видит на экране компьютера. Пусть малыш сосчитает, сколько здесь грибов.

ЧИСТОГОВОРКИ

Попросите ребёнка вслед за вами повторить чистоговорки. Когда будете читать их во второй раз, то не договаривайте последнее слово, пусть малыш вспомнит его сам.

ГА-ГА-ГА — зелёные ... (луга).
ГУ-ГУ-ГУ — гуси на ... (лугу).
ГИ-ГИ-ГИ — от гусей ... (беги).

УЗНАЙ И НАЗОВИ

Вместе с ребёнком назовите все предметы на картинках: ГАЛКА, ГОРОХ, ГВОЗДИКА.
Спросите у малыша, какая из этих картинок находится слева, какая справа, а какая — посередине.

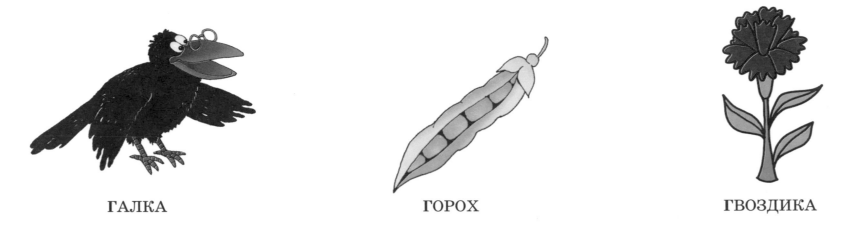

ГАЛКА   ГОРОХ   ГВОЗДИКА

УЗНАЙ ПО ГОЛОСУ

Сопровождайте звукоподражания движениями: «ГУ-ГУ-ГУ!» — то соединяйте, то разъединяйте большой и указательный пальцы, изображая клювик голубя; «ГА-ГА-ГА!» — противопоставьте большой палец остальным и то соединяйте, то разъединяйте их, изображая большой клюв гуся. Затем произносите по очереди «ГА-ГА!» и «ГУ-ГУ!» и спрашивайте ребёнка, что он слышал: как гогочет гусь или как воркует голубь. Пусть малыш не только ответит, но и покажет пальчиками. А теперь произносите по очереди звуки «К, к, к...» или «Г, г, г...» и спрашивайте ребёнка, что он слышал: как стрелял маленький пистолет или звал свою маму маленький гусёнок.

ВО ЧТО ИГРАЕМ?

Когда дети играют в солдатиков, то маршируют: «ТОП-ТОП!»; а когда скачут на лошадках, то говорят им: «ГОП-ГОП!» Предложите ребёнку показать соответствующие движения: шагать, как солдат, чеканя шаг; а затем скакать на воображаемой лошадке. Теперь произносите по очереди «ТОП-ТОП!» и «ГОП-ГОП!» и просите ребёнка назвать и показать с помощью движений, что он услышал: как дети маршируют или как скачут на лошадках.

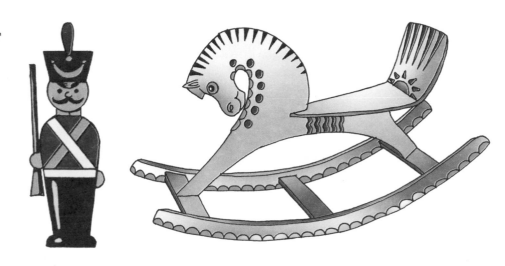

ТЕЛЕФОННЫЙ РАЗГОВОР

Возьмите в руку воображаемую «телефонную трубку» и скажите малышу, что вы сейчас будете говорить с ним на незнакомом языке. Пусть ребёнок повторяет вслед за вами близкие по звучанию пары слогов: «КА–КА», «ГА–ГА», «КА–ГА», «ГА–КА».

ЗАЯЦ ЕГОРКА

Разучите с ребёнком потешку:

Заяц Егорка свалился в озёрко.
Бегите под горку, спасайте Егорку.

СОЧИНЯЕМ ВМЕСТЕ

Сочините вместе стишок: пусть малыш подскажет слово-рифму.

Поскачу сейчас в галоп,
Говорю лошадке... (гоп)!

СКОРОГОВОРКИ

Повторите вместе с ребёнком скороговорки:

Грушу гусеница любит, грушу гусеница губит.
В гору — бегом, с горы — кувырком.
Гриб на солнце греет бок.
В кузовок иди, грибок!

Произносите скороговорки и просите малыша показать соответствующую картинку.

ПОХОЖИЕ СЛОВА

Попросите ребёнка посмотреть на картинки и показать, где тут нарисована горка, а где арбузная корка. Затем один за другим называйте слова «корка» и «горка», а малыш пусть показывает соответствующие изображения. Спросите ребёнка о том, что делает котёнок.

После этого попросите малыша посмотреть на следующую картинку и показать, где шалун Гошка, а где его кошка. Одно за другим произносите слова «Гошка» и «кошка», а ребёнок пусть указывает соответствующие изображения. Спросите ребёнка, что делает Гоша.

БУДЬ ВНИМАТЕЛЕН

Скажите ребёнку:

Пришли к собаке **гости**. Принесли в подарок **кости**.

Затем попросите малыша слушать внимательно и, если нужно, исправить ошибки. Скажите:

Пришли к собаке **кости**. Принесли в подарок **гости**.

Попросите малыша посчитать, сколько на картинке гостей, а сколько костей.

Скажите ребёнку:

Зреет красная **калина**.
Соберёт её **Галина**.

Затем попросите малыша слушать внимательно и, если нужно, исправить ошибки. Скажите:

Зреет красная **Галина**.
Соберёт её **калина**.

Попросите малыша показать Галину, а потом калину.

Звук [Х]. *Логопедические игры*

Поиграйте с малышом в игры, которые подготовят его к произнесению звука [Х].

ГОРКА

Язык умеет делать горку. «Смотри, какая большая горка получается!» — улыбнитесь и откройте рот. Кончиком языка упритесь в нижние зубы. Затем, не отрывая кончика, приподнимите среднюю часть языка и выгните её горкой вверх. Предложите ребёнку самому показать горку. Пока ребёнок удерживает артикуляционную позу, скажите ему:

Вот она какая,
Горочка крутая!

Спросите малыша, можно ли вам прокатиться с его горки. Получив согласие, проведите ладонью около рта ребёнка так, как будто скатились с горки. Скажите, что вы съехали на лыжах. Затем попросите разрешение прокатиться с горки на санках, на ледянках, на ватрушке, на снегокате...

ПОГРЕЕМ РУЧКИ

Скажите ребёнку, что мальчик так долго катался на лыжах, что заморозил руки. Предложите малышу поучить мальчика согревать руки своим дыханием. Для этого надо поднести ладони ко рту и несколько секунд подряд выдыхать на них воздух, одновременно произнося звук [Х]. (Артикуляция такая же, как при произнесении звуков [К] и [Г], с той лишь разницей, что выгнутая кверху средняя часть языка не быстро отталкивается от нёба, а более длительное время прижимается к нему.) А теперь попросите ребёнка помочь мальчику надеть рукавички. Спросите малыша, как он думает: с какой руки каждая из этих рукавичек.

ЗВУКОВАЯ ДОРОЖКА

Мы с сосульками играем —
Потом ручки согреваем.
Ух, ух! Какие холодные!

Предложите малышу провести указательным пальцем по дорожке от рукавичек до сосулек, висящих под крышей, и одновременно длительно тянуть звук [Х]. Затем дайте задание ребёнку согреть каждый пальчик на правой руке: надо поднести ко рту палец и подуть на него тёплым воздухом со звуком [Х].

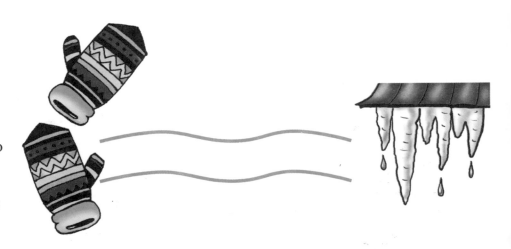

ЗВУКОВЫЕ КНОПОЧКИ

Нажимайте звуковые кнопочки на волшебном компьютере: по очереди соединяйте с большим пальцем все остальные пальцы. Одновременно с этим произносите слоги: **[ХА], [ХО], [ХУ], [ХЫ]**. Когда задание будет выполнено, спросите ребёнка, что он видит на экране компьютера. Пусть малыш покажет у хомяка уши, нос и щёки.

ЧИСТОГОВОРКИ

Попросите ребёнка вслед за вами повторить чистоговорки. Когда будете читать их во второй раз, то не договаривайте последнее слово, пусть малыш вспомнит его сам.

ХИ-ХИ-ХИ — дайте нам ... (ухи).
ХУ-ХУ-ХУ — любим мы ... (уху).
ХА-ХА-ХА — хороша ... (уха)!

Объясните малышу, что уха — это суп из рыбы.

УЗНАЙ И НАЗОВИ

Вместе с ребёнком назовите все предметы на картинках: **ХЛЕБ**, **ХАЛАТ**, **ХЛОПУШКА**.
Спросите у малыша, какая из этих картинок находится слева, какая справа, а какая — посередине.
Спросите у малыша, для чего нужен каждый из этих предметов.

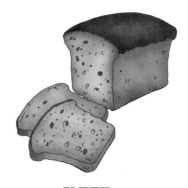

ХЛЕБ

ХАЛАТ

ХЛОПУШКА

УЗНАЙ ПО ГОЛОСУ

Повторите с ребёнком знакомые звукоподражания: «К, к, к» — так стреляет пистолет, и «Х, х, х» — так греют замёрзшие пальчики. Затем произносите по очереди «К, к, к» и «Х, х, х» и спрашивайте ребёнка, что он слышал: как стреляют из игрушечного пистолетика или как дети зимой дышат на озябшие руки.

Затем повторите звукоподражания: «ГА-ГА!» — гусь гогочет, и «ХА-ХА!» — клоун смеётся. Произносите по очереди звукоподражания «ХА-ХА!» и «ГА-ГА!» и спрашивает ребёнка, что он слышал: как смеётся клоун или как гогочет гусь.

ОТГАДАЙ И ПОКАЖИ

«ХА-ХА!» — так мы смеёмся (нужно хлопать в ладоши), и «АХ-АХ!» — так мы удивляемся (поднять брови и развести руки в стороны). Спросите ребёнка, кто из детей на картинке весёлый, а кто удивлённый. Произносите по очереди звукоподражания «ХА-ХА!» и «АХ-АХ!» и спрашивайте ребёнка, что он слышал: как смеётся девочка или как удивляется мальчик. Пусть ребёнок не только ответит и покажет соответствующие картинки, но и продемонстрирует знакомые жесты и мимику.

ТЕЛЕФОННЫЙ РАЗГОВОР

Возьмите в руку воображаемую «телефонную трубку» и скажите малышу, что вы сейчас будете говорить с ним на незнакомом языке. Пусть ребёнок повторяет вслед за вами близкие по звучанию пары слогов: «ХО–ХО», «КО–КО», «КО–ХО», «ХО–КО».

ПОТЕШКА

Повторите с ребёнком народную потешку:
  На улице две курицы
  С петухом дерутся.
  Две девицы-красавицы
  Смотрят и смеются:
  — Ха-ха-ха, ха-ха-ха!
  Как нам жалко петуха!

СОЧИНЯЕМ ВМЕСТЕ

Сочините вместе стишок: пусть малыш подскажет слово-рифму.

Ходит по двору петух,
Поскользнулся, в лужу ... (бух)!

Укусила кису муха.
Заболит у кисы ... (ухо).

СКОРОГОВОРКИ

Повторите вместе скороговорки:

Хохлатые хохлатушки
Хохотом хохотали.

Жеребёнка Коля моет,
Жеребёнка Коля холит.

БУДЬ ВНИМАТЕЛЕН

Скажите ребёнку:

На болоте вырос мох.
Под дождём он мок да мок.

Затем попросите малыша слушать внимательно и, если нужно, исправить ошибки. Скажите:

На болоте вырос **мох**.
Под дождём он **мок** да **мок**.

В следующий раз повторите иначе:

На болоте вырос **мок**.
Под дождем он **мох** да **мох**.

Затем скажите ребёнку другие предложения:

В нашем доме светлый **холл**.
Я забил в ворота **гол**.

Попросите малыша слушать внимательно и, если нужно, исправить ошибки. Скажите:

В нашем доме светлый **гол**.
Я забил в ворота **холл**.

С РАЗНОЙ ИНТОНАЦИЕЙ

Предложите ребёнку поизносить с разной интонацией междометия и фразы. Пусть малыш сам отгадает, к какой именно картинке относится каждое из этих высказываний:

Ух! Как много!
Ох! Устала!
Ах! Ты куда?

СОДЕРЖАНИЕ